TODO MUNDO
FOI CONVIDADO,
MENOS EU?

(e outros dilemas)

MINDY KALING

CITADEL
Grupo Editorial

Título original: *Is Everyone Hanging Out Without Me?*

Copyright © 2011 by Mindy Kaling

This translation published by arrangement with Crown Archetype, an imprint of the Crown Publishing Group, a division of Penguin Random House LLC

1ª edição em português: 2018
Direitos reservados desta edição: CDG Edições e Publicações

AUTOR:
Mindy Kaling

TRADUÇÃO:
Mayã Guimarães

PREPARAÇÃO DE TEXTO:
Lúcia Brito

REVISÃO ORTOGRÁFICA:
Marlise Groth Mem
Renato Deitos

CRIAÇÃO E DIAGRAMAÇÃO:
Dharana Rivas

DADOS INTERNACIONAIS DE CATALOGAÇÃO NA PUBLICAÇÃO (CIP)

K14t Kaling, Mindy
      Todo mundo foi convidado, menos eu? / Mindy Kaling. – Porto Alegre: CDG, 2018.
      256 p.

      ISBN: 978-85-68014-20-2

      1. Humor. 2. Entretenimento. 3. Biografia. 4. Relacionamentos. I. Título.

CDD - 152.43

O conteúdo desta obra é de total responsabilidade do autor e não reflete necessariamente a opinião da editora.

PRODUÇÃO EDITORIAL E DISTRIBUIÇÃO:

contato@citadeleditora.com.br
www.citadeleditora.com.br

Comentários sobre

Todo mundo foi convidado, menos eu?

"É como ouvir uma amiga tagarelar animada depois de várias taças de vinho tinto."

– Washington Post

"As tiradas cômicas [de Kaling] se destacam ao longo do livro – como se precisássemos de novas provas de seu talento."

– Huffington Post

"Kaling distribui o encanto neurótico e as reflexões hilariantes de toda mulher."

– Elle

"Mindy Kaling é uma norte-americana típica... [*Todo mundo foi convidado, menos eu?*] é uma autobiografia repleta de observações sagazes, com uma mistura de guia de compras, inspiração de autoajuda no estilo de Oprah, narrado no tom singularmente cativante de Kaling. No fim deste livro, você vai desejar que a autora seja a sua melhor amiga e que os pais dela adotem você. Como nenhuma dessas situações é muito provável, ou até possível, compre o livro."

– Jennifer Weiner, autora best-seller

"Muito divertido... os ensaios memoráveis de Kaling – sobre sua educação, os problemas com o peso, as experiências com o *bullying*, as amizades, o profundo e duradouro caso de amor com a comédia, e o trabalho como escritora – serão atraentes para a maior parte das pessoas que se questionam sobre como os roteiristas engraçados de TV se tornam roteiristas engraçados de TV."

– Boston Globe

"Onde você esteve esse tempo todo, Mindy?"

– Glamour

"Engraçado e espirituoso."

– Daily Beast

"Hilário e fácil de se identificar – assim como os clássicos *tweets* de Kaling."

– Ladies' Home Journal

"A estreia de Kaling é a combinação perfeita entre memórias e listas divertidas da protagonista, roteirista e produtora executiva de *The Office*."

– Allure.com

"Se você ama Kelly e acha os três minutos e pouco dedicados a ela nos episódios de *The Office* muito pouco, leve Mindy para casa."

– New Yorker

Para meus pais

Sumário

HOLLYWOOD: MINHA BOA AMIGA QUE TAMBÉM É UM POUCO CONSTRANGEDORA

A MELHOR DISTRAÇÃO DO MUNDO: ROMANCES E HOMENS

MINHA APARÊNCIA: O DIVERTIDO E O QUE NÃO TEM GRAÇA NENHUMA

MEU IMPORTANTÍSSIMO LEGADO

OLÁ

Introdução

Obrigada por comprar este livro. Ou, se a pesquisa da minha editora estiver certa, obrigada, Tias da América, por comprarem esta obra para suas sobrinhas das quais vocês não são tão próximas mas gostariam de ser. Existem muitos livros de vampiros que vocês poderiam ter adquirido em vez deste. Fico grata por terem feito essa escolha.

Achei que seria bom aproveitar para responder algumas perguntas:

Sobre o que é este livro?

Neste livro escrevo muito sobre romance, amizade entre mulheres, situações injustas que, pensando agora, até parecem divertidas e outras em que ainda não vejo graça nenhuma, Hollywood, mágoas e minha infância. Só assuntos pesados, de macho, sobre os quais todo homem adora ler. Escrevi este livro de um jeito que refletisse meu jeito de pensar. Em alguns momentos é um ensaio ou uma história, e em outros é um *artlista*, um artigo com cara de lista, termo que acabei de inventar.

Este é um daqueles guias que celebridades escrevem para meninas?

De jeito nenhum. Sou muito pouco qualificada para dar conselhos. Meu índice de massa corporal com certeza não é o ideal, uso com frequência o cartão de débito para comprar coisas que custam menos de três dólares pois nunca ando com dinheiro, e meu quarto é tão desarrumado que parece ter sido atacado por vândalos numa liquidação da Anthropologie. Sou meio bagunçada. Mas realizei o sonho de infância de escrever e atuar na televisão e no cinema. Munida de confiança e de um amor antigo pelo som da minha própria voz, sim, eu dou alguns conselhos neste livro.

No entanto, você precisa entender que discordo de uma grande parte dos conselhos tradicionais. Por exemplo, dizem que a melhor vingança é viver bem. Eu acho que é ácido na cara – quem vai amar a pessoa depois disso? Outro ditado popular é aquele sobre a vingança ser um prato que se come frio. Mas o gosto é bem melhor se for servido fervendo, direto do forno do ultraje. Minha opinião? Capriche na vingança. Ataque a pessoa com unhas e dentes enquanto ela ainda está ao alcance das suas mãos. Não a deixe fugir! Vai saber quando você terá outra oportunidade?

Você dá muitas opiniões neste livro?

Um pouco. Opino um pouco aqui e ali. Por exemplo, não acho que deva ser socialmente aceitável as pessoas dizerem ser "ruins com nomes". Ninguém é ruim com nome. Isso nem existe. Não lembrar o nome dos outros não é uma condição neurológica, é uma escolha. Você *escolhe* não dar prioridade a lembrar o nome das pessoas. É como falar "Ei, um aviso sobre mim: sou grosseiro". Pelo amor de Deus, se você não lembra o nome de alguém, pelo menos finja que lembra. Use aquele truque que todo mundo usa quando diz vagamente "Que bom te ver!" e não mantém muito contato visual.

Este livro é como uma revista feminina, então?

Não exatamente, mas, se você ler como uma revista feminina engraçada, será empolgante. Eu amo revistas. Não dá para passar por uma revista e não parar um pouco para ler. Você tenta jogar suas revistas fora, mas, se não tampar bem o lixo, de alguma forma elas vão reaparecer em um canto da sua sala de estar. Falo isso porque a minha casa é assombrada há sete anos pela mesma edição de dezembro de 2004 da revista *Glamour*.

Comprei este livro para a minha filha, de quem estou tentando me reaproximar depois do conturbado divórcio com a mãe dela. Ele vai me ajudar a parecer um pai moderno e compreensivo?

Sinceramente, acho que você deveria comprar uma caminhonete para ela. Era isso que todos os pais recém-divorciados faziam para os filhos quando eu estava no colégio. Uma Land Rover, algo assim. Se você não tiver esse dinheiro todo, sugiro a reconciliação com a mãe dela.

Não sei, já tenho muitos livros. Queria terminar de ler os da garota com a tatuagem de dragão antes do lançamento do filme.*

A leitura deste livro não vai demorar mais do que dois dias. Você deu uma olhada na capa? É bem cor-de-rosa. Se você passar meses lendo este livro todas as noites, tem algo errado.

---

* A saga Millennium, cujo primeiro volume é *The Girl With The Dragon Tattoo* (a garota com a tatuagem de dragão; no Brasil *Os homens que não amavam as mulheres*). (N.T.)

Parece legal, mas não tanto quanto o livro de Tina Fey. Por que ele não é um pouco mais parecido com o de Tina Fey?

Eu sei, cara. Tina é demais. Acho que ela deve ter todos os troféus internacionais de excelência, tirando o Heisman. (Talvez ela até tenha um Heisman de honra ao mérito, vou verificar.) Infelizmente, não posso ser Tina porque seria muito difícil atraí-la para uma situação do tipo *Sexta-feira muito louca* em que nós trocássemos de corpos, ainda que nos filmes pareça tão fácil. Acredite, eu tentei.

O que mais preciso saber?

1. Nenhum nascer do Sol é bonito o bastante para me fazer levantar para assistir.

2. Eu queria ser amiga de Beyoncé Knowles.

· · ·

Bom, acho que cobri o essencial e ainda consegui manter um ar *sexy* de mistério sobre mim. Gostei disso.

Com amor,
Mindy

Títulos alternativos para este livro

Aqui estão alguns títulos que eu gostaria de ter dado para este livro, mas fui insistentemente avisada para não usar.

A menina sem tatuagem

Quando suas roupas cabem no seu namorado e outras atrocidades

O livro que nunca foi um *blog*

Use sempre sapatilhas e convide as amigas para dormir na sua casa: um guia passo a passo para evitar ser assassinada

Harry Potter e o Livro Secreto #8

Às vezes você só precisa passar um *gloss* e fingir que está preparada

Quero tanto que Dirk Nowitzki apresente o *Saturday Night Live* que dei este título para o meu livro

Vomitar até a morte e outras coisas que sabem que eu digo

A última manga em Paris (funcionaria melhor se "Manga" fosse o apelido atrevido de uma indiana e se eu tivesse passado algum tempo em Paris)

Então você acabou o livro de Chelsea Handler, e agora?

Pizza Deep-Dish em Kabul (a emocionante história de uma garota corajosa comendo em segredo pizza à moda de Chicago no Afeganistão dominado pelo Talibã)

Não existe mais diferença entre minhas roupas de sair e minhas roupas de dormir

Não sei como ela faz, mas suspeito que ela tenha ajuda de imigrantes ilegais

NÃO ESQUEÇO NADA: uma criança sensível olha para trás

Gordinha a vida toda

Não lembro de nenhum momento da minha vida em que eu não tenha sido gordinha. Assim como ser indiana, ser gordinha parece uma característica imutável minha. Recordo de estar na primeira série, na sala da sra. Gilmore, na Fiske Elementary School, e ver Ashley Kemp, a menina mais popular da sala, pesando só 17 quilos. Nós sabíamos disso porque pesamos a menina na balança portátil que ficava guardada no armário da sala dos professores. Fiquei com muita inveja. Mais tarde me esgueirei até o local e me pesei. Eu estava com enormes 31 quilos.

Uma das primeiras contas que aprendi foi a de que eu estava mais próxima do dobro do peso de Ashley do que do peso dela.

"Não fique mais perto do *dobro* do peso da sua amiga do que do peso real dela", disse para mim mesma. Este breve mantra me ajudou a ficar longe da obesidade por mais de duas décadas.

Minha mãe é médica, mas, como viveu na Índia e na África, onde obesidade infantil não era um problema, não almejou ter filhos magrinhos. Na verdade, ela e meu pai não ligavam muito para ter uma filha gordinha. Até me pergunto se isso não dava a eles a sensação de serem mais prósperos, tipo, *Você já reparou que temos uma filha indiana acima do peso? Você sabe o quanto isso é estatisticamente raro?* Então, não vai surpreender você saber que nunca fui magra – exceto no dia em que nasci, pesando 2,7 quilos.

É um pequeno orgulho ter nascido um bebê com menos de três quilos porque, de acordo com meu pouco conhecimento sobre o peso de bebês, isso fica na categoria dos magrinhos. Ostento meus poucos quilos de bebê do mesmo jeito que pessoas realmente obesas devem ostentar seus pés pequenos e delicados. É meu único argumento para reivindicar a fama de magra.

Meu irmão mais velho Vijay e eu,
sendo interrompidos enquanto eu tramava comê-lo.

Como você pode ver, dali para frente, porém, foi velocidade máxima rumo ao paraíso da comida! Durante o ensino fundamental, oscilei no espectro de cheinha a gorda até ter uns 14 anos. Estar acima do peso é tão comum e acontece de formas tão variadas na América que você não tem como falar que alguém é "gordo" e realmente esperar que alguém entenda o que você quis dizer. Então, aí vai um glossário:

Cheinho: uma pessoa de peso normal, mas que poderia perder alguns quilos, por quem você tem carinho.

Gorducho: uma criança acima do peso e muito fofa. Por exemplo, aquele menininho do *Two and a Half Men* nas primeiras duas temporadas.

Balofo: um termo bem antiquado. Nos anos 1970, as meninas cruéis das irmandades usavam para se referir às calouras. É mais usado para falar de pessoas que nem são realmente gordas, mas temem ser gordas.

Bundão: geralmente não é usado para falar de peso. Esse falso cognato refere-se mais a preguiça. Na sala dos roteiristas de *The Office*, um roteirista chefe poderia perder a paciência e gritar: "Eric, mexa essa sua bunda e escreva a trama secundária com esses seis bundões! Não quero mais ouvir desculpas sobre o porquê da trama não fazer sentido!".

Jabba the Hutt: vilão de *Guerra nas estrelas*. Também é um apelido que você pode dar para si mesmo depois de comer muito no jantar de Ação de Graças. Seus tios e tias vão rir horrores.

Obeso: um jeito sério e não pejorativo de descrever pessoas com sobrepeso insalubre.

Obesotron: um apelido dado para alguém que você adora e que pisou no seu pé sem querer, mas com força. Uma variação, robô gordo.

Acima do peso: quando alguém tem uns quinze quilos a mais do que deveria.

Rechonchudo: ver "cheinho".

Roliço: ver "gorducho".

Saco de banha: um tremendo elogio que as pessoas dos tempos da Depressão faziam às outras que não eram tão magricelas.

Baleia: um jeito muito, muito cruel que os meninos adolescentes usam para atingir as meninas de mesma idade. Leia a historinha a seguir.

DUANTE DIALLO

Teve duas vezes na vida – aos 14 e aos 19 anos – em que perdi muito peso em pouco tempo. Aos 14, foi por causa de Duante Diallo.

No nono ano, minha sala de aula era formada na maior parte por pessoas com quem eu já tinha estudado no ensino fundamental, tirando uns vinte alunos novos chamativos. Um deles era Duante.

Duante Diallo era um menino lindo do Senegal que se mudou para Boston para jogar basquete pelo time da nossa escola. Já chegou virando a estrela do time de basquete. Tínhamos um time mais ou menos de escola particular, daqueles formados por meninos esguios cujo principal objetivo era se preparar para tentar entrar na faculdade. Mas dava para ver que Duante também teria sido a estrela de um time muito bom. Ele era adorado pelos professores por ser um jovem corajoso vivendo muito longe dos pais e adorado pelos alunos por ser bonito, atleta e por ter um sotaque africano interessante. Além disso, as pessoas mal acreditavam nas coisas que ele tinha feito no Senegal, como fumar, dirigir, transar, viver numa aldeia e pegar em uma arma. Quando foi apresentado em uma reunião dos alunos, ele optou por fazer um discurso rápido e nos ensinou um grito de torcida esportiva em senegalês. Nos corredores, rodinhas se formavam em volta de Duante enquanto ele contava histórias de sua vida. Uma vez ele atirou em uma vaca com uma AK-47. Era tão popular que você mal conseguia olhar para ele sem ser ofuscado pelo seu estilo.

Infelizmente, Duante também era um babaca tirânico. Talvez eu devesse ter percebido pela alegria com que ele contou a história sobre matar uma vaca com uma arma enorme. Ele implicou comigo logo no começo do ano por eu estar acima do peso e era muito franco em suas observações. No começo tinha um verniz de delicadeza. Por exemplo, uma vez em que eu estava tomando água no corredor onde ele estava com os amigos.

DUANTE: Você seria muito bonita se perdesse peso.

Sua expressão era gentil e sincera, como se ele tivesse acabado de dizer "Você me lembra do pôr do Sol no meu Senegal". Foi confuso. Tudo que consegui responder diante desse comentário ofensivo foi "muito obrigada". Fiquei magoada, mas racionalizei que talvez Duante só tivesse convivido com meninas africanas extremamente magras durante sua vida no Terceiro Mundo e não soubesse que meninas norte-americanas tinham acesso a geladeiras e não precisavam dividir a comida do Programa Alimentar Mundial com os vizinhos. (Talvez essa tenha sido uma dedução um tanto racista da minha parte. Olha, nós dois estávamos errados.)

Quando chegou o inverno, eu não tinha emagrecido nada, na verdade tinha engordado uns quatro ou cinco quilos. Duante ficou muito incomodado com isso. Acho que ele pensava que tinha se esforçado para me dar conselhos valiosos que optei por não seguir, o que era insultante. Um dia, em fevereiro, entrei no centro acadêmico dos calouros, e ele interrompeu a conversa com os amigos e apontou para mim.

DUANTE: Falando em baleias...

Acho que nem estavam falando sobre baleias. Todos os caras deram risada, mas até eu pude ver que alguns deles se sentiram culpados por isso. A maioria deles eram meus amigos desde criança. Danny Feinstein, companheiro de estudos de latim, veio falar comigo depois e disse que "o que Duante falou não foi legal". Ele estava com um olhar estoico de nobre benfeitor, ainda que tivesse ficado quieto na hora em que fui insultada. De novo, fui forçada a dizer muito obrigada. Não sei bem como acabava sempre metida em situações nas quais me sentia obrigada a agradecer aos meninos cruéis.

Foi um inverno difícil. Fui de *nerd* competitiva a alvo nervoso. Se fosse o filme *Atração mortal*, eu seria Martha Dumptruck e aquele cruel menino africano seria as três Heathers. Desviei toda minha energia obsessiva de adolescente da leitura da revista *Mad* e a canalizei na dieta. Eu não tinha acesso a muitos métodos de perda de peso porque isso aconteceu antes da internet. Havia um Vigilantes do Peso perto de casa, mas dividiam o espaço com uma filial mal-acabada do Exército da Salvação no estacionamento de um *minishopping*, e meus pais não gostaram muito da ideia de me levar lá para as reuniões. Então improvisei uma dieta: comeria exatamente metade do que fosse colocado na minha frente, e sem sobremesa. Sem fazer exercícios, perdi 13,5 quilos em cerca de dois meses. Uma das serventes da escola de quem eu gostava, a sra. Cartington, olhava para mim e dizia: "Caramba, que metabolismo, hein, menina?". Os serventes estavam sempre do meu lado.

Lembro de acordar de manhã, olhar para os meus dedos e perceber que haviam encolhido durante a noite. De repente eu estava sempre com frio, assim como as meninas magrinhas que sempre reclamavam disso no cinema, e precisava dormir com um cobertor de lã a mais. Meu rosto afinou e minha barriga sumiu. Parei de usar moletons grandões e calças de veludo com elástico na cintura. Marquinhas marrom-claro apareceram na parte de dentro dos meus braços, como se riozinhos corressem em direção às minhas omoplatas. Na verdade, eu as achava bonitinhas até minha mãe explicar que aquilo eram estrias por ter perdido muito peso rápido demais. Parecia um filme de ficção científica da Disney. Minha mãe ficou impressionada, mas não queria exageros, o que era impossível, porque eu ainda comia muito. Só tinha dado um tempo na dieta de jogador de futebol profissional. Eu adorava todos os efeitos colaterais de emagrecer, mas minha motivação era fazer Duante parar de rir de mim para poder voltar a ficar no centro acadêmico com todo mundo e não onde havia ficado nos últimos tempos: do outro lado da rua, no Bosque das Fadas.[*]

---

[*] O Bosque das Fadas era uma pequena floresta perto do rio Charles. Era ali que os adolescentes rebeldes e os professores frustrados iam fumar. Há boatos de que também era

Achei que Duante finalmente me deixaria em paz, mas não. Um dia estava no corredor indo para a sala e passei por ele e seu grupo de amigos.

DUANTE: Lembram quando Mindy era tipo (enchendo as bochechas de ar para imitar um rosto gordo) uma baleia?

Todos riram. Ah, cara, como assim? *Lembram quando?* Estão me zoando por eu *ter sido* gorda? As leis do *bullying* permitem que você seja cruel mesmo quando a vítima se esforçou para mudar? Foi aí que percebi que os praticantes do *bullying* não tinham nenhum código de conduta.

Para minha sorte, Duante era um péssimo aluno. Inglês era seu idioma secundário, o que tornava tudo mais difícil para ele. Adorei o fato de ele ter que assistir a algumas aulas no ensino fundamental. No segundo ano do ensino médio, Duante quebrou a perna num escorregão durante um treino, quando trombou com outro aluno. Por um tempinho ele ficou ainda mais popular, coisa que acidentes esportivos fazem com as pessoas, mas logo depois as muletas começaram a incomodar os outros quando ele andava muito devagar no meio dos corredores. Duante não jogou naquela temporada e nunca mais voltou a ser tão bom no basquete depois do acidente. Largou o colégio no terceiro ano, e ouvi dizer que engravidou uma menina. Agora uma parte minha se sente meio mal por Duante Diallo, mas na época não. Fiquei muito feliz. Aquele garoto senegalês cruel e escroto.

UMA INTERVENÇÃO

Mantive um peso bem normal até a faculdade, quando engordei os quinze quilos do calouro nos primeiros seis meses. Quê? Você nunca ouviu falar nos quinze quilos do calouro? Engraçado, nem meus pais, que me receberam nas férias de primavera um pouquinho horrorizados. Eu era um monstro vagamente familiar que tinha comido a filha deles.

---

um lugar onde os gays faziam sexo com estranhos. Por isso foi apelidado de Bosque das Fadas, mas só fui entender isso lá para os 25 anos.

Quando perdi peso aos 19 anos, foi significativo porque foi a primeira vez que pratiquei atividade física. Sempre fugi com sucesso dos exercícios físicos quando era mais nova, fosse ficando na reserva nos jogos da escola, me inscrevendo em esportes de mentirinha, tipo tai chi, ou convencendo os professores de educação física a me deixarem ficar lendo na arquibancada. Foi na Dartnouth College, em 1999, que descobri os exercícios, quando minha melhor amiga, Brenda, me ensinou a correr. Eu era um bicho-preguiça de quem a Brenda ficou com pena, e ela me salvou da quase obesidade com a paciência e a persistência de Annie Sullivan (sim, a de *O Milagre de Anne Sullivan*).

Nossa rotina de treinos era simples e não exigia nem esforço mental de tão repetitiva. Uma atmosfera que estranhamente me fez florescer. Comecei caminhando por vinte minutos, e depois Bren me fez correr no espaço entre postes ou placas. (Para deixar registrado, Bren, uma atleta por natureza, corre tipo uma milha a cada seis minutos. Era uma perda de tempo total para ela, que só fez isso por causa de sua bondade católica.) E aí voltávamos para nosso apartamento e fazíamos abdominais do *Abs of Steel* juntas. Apesar de rirmos impiedosamente do vídeo, produzido no ápice dos anos 1980, com direito a Tamilee Webb de bermuda ciclista verde-água e maiô cavado cor-de-rosa, fazíamos os exercícios religiosamente. Tamilee tinha um bumbum de pedra, e não havia nenhuma ironia nisso. Surpreendentemente, a experiência foi muito divertida e consolidou uma amizade para a vida toda entre Brenda e eu. Como não virar melhor amiga da menina que via sua calça de ginástica encharcada de suor na pélvis todos os dias e ainda queria passar o tempo com você? Com esse ambiente confortável e acolhedor, perdi 13,5 quilos em um semestre.

AMO DIETAS

Gostaria de ser uma daquelas francesas que continuam magras comendo apenas os pratos mais *gourmet* em porções minúsculas, mas eu jamais conseguiria. Primeiro porque no geral não *gosto* de comida gourmet. *Gosto* de *frozen yogurt*. Acho mais gostoso que sorvete. Amo refrigerante *diet*; quando tomo suco ou refrigerante normal, fico com muito açúcar no sangue e ajo como uma Rachael Ray depois do *crack*, mas sem as dicas de cuidados domésticos. Até gosto de margarina, ainda que todo mundo me diga que é basicamente um veneno ou algo do tipo. Então esse é um ponto contra mim. Outro obstáculo é o hábito de comer exatamente tanto quanto qualquer pessoa com quem eu esteja saindo, e, entre namorados e amigos atletas altos, somos um bando de grandes comilões. Meu apetite é realmente notável. Lembro de quando saíram notícias sobre a dieta de dez mil calorias por dia de Michael Phelps e todo mundo ficou chocado. Só pensei: *sim, eu conseguiria, sem problema.*

No fim das contas, os principais motivos pelos quais serei gordinha para a vida toda são: (1) claramente, não tenho nenhum *hobby* além de fazer dieta. Não falo nenhum idioma além do inglês, não sei tricotar, esquiar, montar *scrapbooks* ou cozinhar. Não tenho animais de estimação. Não sei usar drogas. Perdi meu passaporte há três anos na mudança de casa e nunca fui renovar. *Video games* me assustam porque simulam situações em que eu odiaria estar, tipo guerras ou roubos de carro. Então, se perdesse peso, também perderia meu único *hobby*; (2) não tenho disciplina; sou meio como se a recruta Benjamin nunca tivesse tomado jeito e sim piorado; (3) os caras com quem saí gostavam de mim do jeito que sou; (4) estou bem satisfeita com minha aparência, enquanto não estiver quebrando cadeiras de praia.

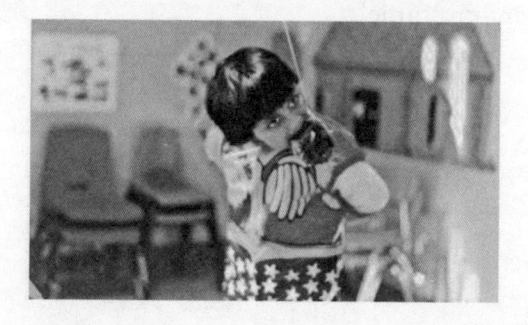

Meu amor pelas dietas foi uma percepção recente. Acontece que sou apaixonada por experimentar novos planos alimentares e de exercícios. Dukan, South Beach, Mulheres Francesas Não Engordam, Homens das Cavernas Não Engordam, Organismos Unicelulares Não Engordam, Magra e Poderosa, Desgraçada Magricela – depois de um tempo no mesmo regime, fico entediada e quero começar outro. É bem divertido ler todo o material e os depoimentos dos médicos bronzeados que defendem as dietas. É só uma questão de tempo lançarem a dieta Jane Austen, e não vejo a hora de passar uma primavera experimentando.

Se alguém me chamasse de gordinha, não seria mais uma coisa que me deixaria sem dormir. Duante Diallo não tem mais nenhum poder sobre mim, a não ser que tenha virado um senhor da guerra africano ou coisa do tipo e tenha um machado. Ser chamada de gorda não é igual a ser chamada de burra ou sem graça, que são as piores coisas que alguém poderia me dizer. Se invejo Jennifer Hudson por ter conseguido perder todo aquele peso e ainda estar maravilhosa? Claro que sim. Às vezes, olho para Gisele Bündchen e fico imaginando como a vida seria maravilhosa se eu nunca tivesse que usar uma cinta modeladora. Dã, lógico. Esse é o lance de Gisele Bündchen. Gostaria de poder ser assim, e talvez possa uma vez ou outra, por pouco tempo. Mas, na lista de coisas que quero fazer na vida, isso não está perto do topo. Também não está perto dos últimos. Diria que está logo acima de "aprender a pilotar uma Vespa", mas vários itens abaixo de "gravar uma cena de perseguição para um filme".

Não sou atleta

Eu sei, eu sei. Você deu um tempo na leitura por causa da surpresa?

Sempre fui *extremamente* ruim em tudo que é atlético. Sei que soa como uma hipérbole, mas não é como quando digo que "amo tanto esse vestido que desejo me matar". É para valer.

O curioso é que amo assistir a alguns esportes tanto quanto odeio praticá-los. No começo dos anos 1980, quando minha família ficou fissurada pela rivalidade Celtics-Lakers, eu sentava na frente da TV com eles, pensando que Larry Bird era o homem mais lindo do mundo.* Mas eu começaria a chorar imediatamente se me dessem uma bola de basquete. Para mim, praticar esportes era como conhecer os personagens da Disney no Disney World. Eu amava Mickey Mouse na TV, mas quando conheci o Mickey de verdade, ou melhor, seu intérprete, e ele tentou me abraçar com aquela roupa quente e felpuda, me encolhi de medo.

---

* Aos seis anos, meu critério de lindo era, basicamente "Não conheço?" e "Vi na TV?". E era isso. Olhando deste referencial, Larry Bird, Dick Clark, Andy Rooney, todos lindos.

PARTE UM: BICICLETAS

Aprendi a andar de bicicleta com 12 anos. Era muito velha, comparada às crianças do bairro. Evitei com sucesso aprender por anos, geralmente fazendo uma cena sobre não poder largar o livro que estava lendo. Se meus pais têm algum ponto fraco, são os livros, e eu sabia que o melhor jeito de me livrar de tarefas domésticas, esportes ou de falar com parentes idosos ao telefone era agarrar um livro e falar: "Mas estou gostando tanto de *Uma casa na campina!*". Devo ter lido o catálogo inteiro de Laura Ingalls Wilder só para me livrar de cortar a grama com o meu irmão. Mas quando todas as meninas da minha idade já estavam começando a menstruar e eu ainda nem tinha aprendido a andar de bicicleta, a coisa esquentou.

Meu pai finalmente ficou tenso com isso. Talvez ele tivesse receio de eu passar a vida sem poder aproveitar um dos maiores passatempos americanos. Talvez achasse que eu tinha potencial para virar uma grande ciclista. Ou talvez achasse que a bicicleta era um bom jeito de fugir de assaltantes. Provavelmente ele só queria que eu me enturmasse com a galera que andava de bicicleta por lá e fizesse alguns amigos e não fosse mais a menina estranha que passava todos os fins de semana dentro de casa assistindo *Supergatas* com a mãe.

O maior combustível para as minhas brigas com meu pai era o quanto eu detestava bicicletas. Bicicletas eram horríveis. Elas sempre pareciam raspar nas minhas pernas, ou os raios me cutucavam, ou alguma coisa assim. As pedrinhas entravam nas minhas meias quando eu pedalava. O assento era áspero e machucava a virilha. Bicicletas representavam tudo de irritante e desconfortável quando eu era mais nova.

Usando cotoveleiras, joelheiras e capacete, fui com a minha bicicleta para o estacionamento atrás da sinagoga Beth Shalom, no fim da rua. Meu pai foi comigo e levou duas garrafas enormes de Gatorade. Eu era obcecada pelo medo de ficar desidratada aprendendo a andar de bicicleta. Precisei de uma semana para aprender a me equilibrar porque assim que tirava os dois pés do chão eu fechava os olhos de medo.

"O que você está fazendo? Abra os olhos!", meu pai gritava.

Então, acontece que manter os olhos abertos é o segredo para aprender a pedalar. Assim que aprendi a me equilibrar, meu pai me deixou praticando sozinha para pegar o jeito. "Treinar até pegar o jeito", na verdade, é uma técnica indiana clássica para ensinar as crianças a fazerem coisas relacionadas a textos litúrgicos em sânscrito. Blocos autoadesivos e canetas Sharpie são artefatos culturais indianos para mim. Andei de bicicleta durante horas em volta do estacionamento atrás da sinagoga. Deixe-me lembrar que isso foi antes dos iPods. Foi antes inclusive daqueles Walkmans esportivos amarelos. Sem música para ouvir, eu pedalava em círculos falando comigo mesma como uma criança da capa dos livros de Robert Cormier para jovens adultos, girando em volta de famílias judias que caminhavam intrigadas até seus carros. Foi assim que aprendi a andar de bicicleta.

O que meu pai não percebeu na época foi que, enquanto eu absorvia a mecânica de como se anda de bicicleta, absorvia também o ódio por isso. Decidi que odiava e pronto. Não tem como você entender o poder do meu ódio irracional aos 12 anos de idade, mas é o tipo de ódio que dura. O mesmo ódio misterioso e poderoso que criei mais tarde por outras coisas, como trilhas, gincanas e assistir a qualquer tipo de concurso.

PARTE DOIS: FRISBEE

Ainda que eu sabiamente tenha escolhido amigos que não sejam muito atléticos, o Frisbee foi um incômodo recorrente na minha vida. Frisbee, ou "disco", como fui corrigida com raiva muitas vezes, é um dos poucos esportes de que o grupinho das artes gosta, então nossos caminhos inevitavelmente se cruzaram. Uma informação relevante sobre mim é que sou péssima com Frisbee e odeio jogar. Pegar principalmente, óbvio (sério, feche os olhos. Você consegue me imaginar pegando um Frisbee? Não! Você não consegue criar essa imagem nem *na sua imaginação*), mas jogar também. Sempre foi assim: meus amigos entusiastas do Frisbee insistem que eu adoraria se aprendesse a jogar. Nego. Eles insistem, eu cedo. Depois de instruções detalhadas dos meus amigos – mas, sério, a instrução "é tudo no pulso" tem alguma utilidade para alguém? –, tento. Arremesso o disco (em uma velocidade descomunal e muito longe; sempre tive braços grandes e fortes) na direção totalmente errada, até ele aterrissar do outro lado do parque.

Ao contrário dos outros atletas, os jogadores de Frisbee não deixam para lá. Minha teoria é que existem vários pontos em comum entre pessoas boas no Frisbee e pessoas que trabalham no Teach for America. O mesmo instinto de ensinar crianças em situação de risco, que tanto admiro, torna-se mortal quando aparece entre amigos relaxando no parque em um domingo à tarde. Eles sentem que têm a obrigação de me convencer a aprender esse esporte inútil. A tarde vira "destravar a paixão de Mindy pelo Frisbee", em vez de me deixarem deitar na grama e ler meu livro de mulherzinha. Como ousam? Se eu achasse Frisbee algo válido para a minha vida, teria aprendido a jogar. Não quero aprender! Não quero aprender! Me deixem ler em paz!

PARTE TRÊS: CORDAS

Existe uma foto famosa do meu irmão mais velho, Vijay, meu primo Hondo e eu escalando cordas no Centro de Recreação Josiah Willard Hayden em Lexington, Massachussets, 1984, quando tínhamos sete, seis e cinco anos respectivamente. Famosa porque por algum motivo o jornal local, *The TAB*, publicou a foto. Acho que a imagem de três criancinhas indianas com roupas e cortes de cabelo parecidos escalando cordas era interessante para os leitores. Mas lembro, mesmo sendo uma criança de cinco anos, de pensar: *Por que estão me obrigando a fazer isso? Nunca vi a mamãe e o papai escalando cordas! Não podem me dizer que isso é útil!*

O que a foto não mostra é que, depois de ela ter sido tirada, escalei até o topo, o que levou quarenta minutos. Quando cheguei lá em cima, não gostei da vista e me recusei a descer pela corda. Além disso, minhas coxas estavam muito esfoladas e eu precisava ir ao banheiro. No fim, os monitores tiveram que colocar uma escada para me tirar de lá, para constrangimento de Vijay e Hondo. Tenho certeza de que Vijay falou que Hondo era o irmão dele e eu a prima.

Felizmente o fiasco da corda foi ofuscado semanas depois, quando, sem querer, pronunciei *jalapeño* com um *j* bem forte na frente de Vijay, Hondo e algumas outras crianças do acampamento. Eu só tinha visto escrito na embalagem de um molho. "Você acha que se pronuncia *já-lapeño*?!", Hondo perguntou incrédulo. Eu achava que sim.

Vijay, Hondo e eu em ordem decrescente.

PARTE QUATRO: LAGOA MORSES

É incrível, mas tem mais um incidente da minha infância em que travei no meio de uma prática esportiva, e esse foi bem mais sério. Aconteceu no Wellesley Summer Day Camp, para onde eu e meu irmão, como crianças dos anos 1980, fomos mandados. O acampamento fazia visitas diárias ao lago Morses, em Wellesley, Massachussets. Eu não gostava do lago Morses porque lá não tinha nenhuma lanchonete ou lojinha de *souvenir*, como no lago Walden. A vantagem do Morses sobre o Walden era que pelo menos lá não tinha nenhum fantasma assustador, o que deduzi que Henry David Thoreau fosse, e que por isso todo mundo falava tanto dele. Uns anos depois de eu ter nadado ali, decretaram o lago Morses impróprio para banhistas. Aparentemente o solo estava contaminado por causa de uma fábrica de tinta abandonada. Menos mal que só lembro que era cheio de cocô de ganso. Alguns anos depois da interdição, um médico rico contratou um assassino de aluguel para matar a mulher dele lá. Isso aconteceu de verdade. Eu sei o que você está pensando. Lago Morses? Está mais para lago Remorsos. Mas agora está aberto de novo.

Tirei esta foto em uma movimentada tarde de verão.
Nota: se você quer parecer uma pessoa bem esquisita, seja um adulto sozinho tirando fotos de crianças e pessoas na praia.

Quando criança, eu era curiosa, mas nem de longe aventureira, se é que isso é possível. Quis subir no trampolim para observar a paisagem além do lago Morses, mas eu não queria mergulhar. O lado mais afastado do lago era cheio de vegetação e algas, num tom acobreado muito bonito, e eu queria ter uma vista melhor. Subindo no trampolim, pude enxergar a outra margem. A vegetação e as algas eram realmente muito bonitas. Ainda mais ao longe, avistei o Wellesley Center, onde ficava minha livraria infantil preferida. Me alegrei com isso e dei a volta para descer.

Foi aí que Scott, o monitor bonitão que estava circulando pela parte mais remota do lago, gritou para mim. (De novo, não sei se ele era mesmo bonitão, ou bonitão apenas pelo critério que já mencionei.)

SCOTT: Você não pode descer pela escada! Tem que mergulhar!

Paralisei. Era o trampolim das crianças maiores e era extremamente alto. Dei um passinho atrás, fingindo não ouvir.

SCOTT: Nem pense nisso. É contra as regras. Se você subiu até aí, só tem um jeito de descer.

EU: São regras do acampamento ou regras do lago?

Houve uma pausa enquanto Scott pensava na resposta. Ele ficou irritado por eu ter retrucado.

SCOTT: Dá na mesma! Você *não pode* descer!

EU: Mas eu não quero pular.

SCOTT: Bom, então vai ter que ficar aí.

Duas crianças mais velhas estavam paradas no pé da escada, esperando impacientes pela vez delas.

Acho que nunca fiquei mais assustada na vida. Estava com muito medo de pular, mas também estava com medo de arrumar encrenca no acampamento e deixar minha família envergonhada. E, mais importante, constranger Vijay. (Nessa altura, os verões eram só uma contagem regressiva horrível até o momento em que de alguma forma eu embaraçaria meu pobre irmão, cuja vergonha era pior do que a minha. Eu comeria muitos picolés no almoço, deixando as outras crianças sem nenhum e me expondo ao ridículo como a Porca do Picolé? Arranjaria uma mancha de lama no traseiro dos shorts e viraria a Calça Cagada?)

Scott provavelmente achou que estava fazendo uma coisa ótima para mim, ou talvez fosse algo que seu padrasto malvado tivesse feito e ele tivesse decidido exorcizar a experiência ruim me usando, mas, o que quer que estivesse tentando, foi péssimo. Tudo que recordo é do pânico insano e do medo gélido se espalhando pelo meu corpo. Sem conseguir dizer "Vai se ferrar, cara, vou descer pela escada e ligar para a minha mãe do orelhão e pedir para ela vir me buscar e me levar para casa", fechei os olhos e só me deixei cair na água.

A imagem de uma criança gorda caindo, sem reação, de uma altura grande dentro de um lago deve ser incrível, aposto. Sabe quando uma criança vai tomar injeção ou tirar um dente e você fala para ela que não vai ser tão ruim quanto ela está pensando? Bom, foi cem vezes pior do que eu tinha imaginado.

Primeiramente, *doeu*. Não sei como, mas fiquei com um corte enorme por ter caído na água. (Foi atrás do meu joelho esquerdo; até hoje tenho uma cicatriz escura de dez centímetros ali.) Três pessoas, incluindo Scott, me tiraram da água. Correram comigo até a areia, para a enfermaria, onde estranhamente havia injeções para choque anafilático e colírio, mas não papel toalha. Scott secou minha perna com toalhas de praia.

Finalmente conseguiram estancar o sangramento, e Scott implorou para eu não contar aos meus pais. Lembro dele me pedindo quatro ou cinco vezes. Sabe Deus o que deve ter parecido para um observador ver um rapaz de 17 anos pedindo para uma menina de seis anos, desorientada e ensanguentada, "não contar aos pais" o que quer que fosse. Mas era o lago Morses, e era o tipo de coisa que acontecia lá.

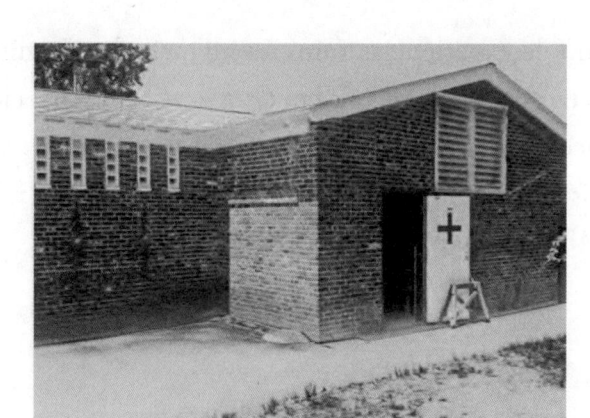

O cenário do curativo

Lições? Meus pais, espertos, nos criaram para ficarmos quietos, sermos respeitosos com os mais velhos e de maneira geral não questionar muito os adultos. Acho que isso porque deduziram que em 99% do tempo estaríamos interagindo com adultos responsáveis e inteligentes, como meus tios e tias; meus professores; minha sábia e idosa professora de piano, a sra. Brewster; e policiais. Eles nunca falaram: "Às vezes você vai conhecer idiotas que tecnicamente são adultos e figuras de autoridade. Você não tem que fazer o que eles mandarem. Você pode tranquilamente dizer: 'Posso, por favor, ligar para a minha mãe antes e perguntar se preciso fazer isso?'". Mas não tínhamos celular nessa época. As únicas pessoas com celulares eram os vilões ricos dos filmes de ação que você sabia que seriam os primeiros a morrer.

Quando tiver filhos, vou seguir em grande parte a criação que recebi dos meus pais, porque, assim como todo mundo, acho que meus pais são perfeitos e eu também. Mas uma coisa que vou ensinar para meus filhos é: "Se você está com medo de alguma coisa, não é sinal de que tenha que fazer aquilo. Provavelmente significa que *não deve* fazer. Chame o papai ou a mamãe imediatamente".

Um punhado de experiências ruins na infância fez de mim uma não atleta convicta. Na psicologia (ok, em *Crepúsculo*) ensinam a ideia do *imprinting*, e acredito que ela se aplica aqui. Eu tive um *imprinting* reverso com o atletismo. É a história de não amor mais linda da minha vida.

Não chegue ao topo no colégio

De vez em quando, adolescentes me pedem conselhos sobre o que devem fazer para ter uma carreira como a minha. Existem basicamente duas formas de chegar onde estou: (1) aprender uma dança provocante e colocar no YouTube; (2) convencer seus pais a se mudarem para Orlando e tirarem você da escola para lhe dar aula em casa até você ser selecionada para o elenco de um programa infantil, *ou* fazer o que eu fiz, que foi (3) continuar na escola e ser uma anônima respeitável, trabalhadora e ir para uma universidade reconhecida e presencial.

Adolescentes, por favor não se preocupem com se tornarem superpopulares no ensino médio ou serem as melhores atrizes ou atletas. As pessoas não só deixam de ligar para isso no momento em que você se forma, como também, quando fica mais velha, se você se vangloria muito das suas vitórias de ensino médio, isso a faz parecer patética, tipo algum antigo personagem balbuciante de Tennessee Williams, sem nada de bom acontecendo na vida. Percebi que quase ninguém que foi uma grande estrela no colégio é uma grande estrela na vida. Para nós, as subestimadas, isso é incrivelmente *justo*.

Nunca ditei as regras do jogo. Acho que nunca fui a uma festa onde tivesse álcool. Ninguém me ofereceu erva. Até os 16 anos, nem sabia que erva e maconha eram a mesma coisa. E nem aprendi isso com um amigo descolado; pesquei a informação de um episódio de *Anjos da lei*. Meus pais não me deixavam sair em dias de semana porque os dias de semana eram para fazer lição de casa e *talvez* assistir a um episódio de *Arquivo X*, se eu estivesse me comportando bem (*Arquivo X* passava na sexta à noite), e em *ocasiões extremamente raras* eu podia assistir *Seinfeld* (quinta, ainda tinha aula no dia seguinte), se tivesse passado nas provas ou algo assim.

É fácil surtar sendo uma adolescente sensível. Eu sempre sentia que estava perdendo muita coisa por causa da representação da experiência do ensino médio na televisão e nas músicas. Para cada *Minha vida de cão* realista existiam dez *Barrados no baile* ou *O quinteto*, em que Luke Perry com vinte e poucos anos deveria parecer um cara comum do colégio. Se Luke Perry tivesse ido para a minha escola, todo mundo pensaria: "Qual é a desse mala sem alça? Ele é agente da narcóticos?". Mas é assim que Hollywood representa os "caras comuns do colégio".

Dentro do gênero "fazer você sentir que não está vivendo a incrível experiência do ensino médio norte-americano", o exemplar mais ofensivo é, na verdade, uma música: "Jack & Diane", de John Cougar Mellencamp. É uma daquelas músicas – como "Tears in Heaven", de Eric Clapton – que todo mundo sabe cantar sem nunca ter escolhido aprender. Já vi muita gente ficar animadíssima quando essa música começa; uma vez testemunhei um casal pedir por ela quatro vezes seguidas no Johnny Rockets, cantar e levantar os braços, batendo palmas acima da cabeça. Aparentemente essa música foi um hino da juventude de algumas pessoas. Acho que, enquanto digito isso, existem pelo país casais do ensino médio se esforçando para ser como Jack e Diane da música. Passeando depois da aula, dando uns beijos no Tastee Freez, escondendo umas cervejas no carro, sem nada no mundo com que se preocupar. Só dois adolescentes brancos, ociosos e populares se divertindo.

O universo criado em "Jack & Diane" talvez seja legalzinho porque, tudo bem, Jack seria mandado para o Vietnã e aí poderia rolar toda uma segunda parte da história quando ele voltasse como um veterano traumatizado e desiludido. A música só me parece interessante como um primeiro ato lúdico de uma história muito mais interessante, no estilo *Nascido em 4 de Julho*.

Do jeito que realmente é, acho "Jack & Diane" meio repugnante.

Como filha de profissionais imigrantes, não consigo ignorar toda a futilidade disso tudo. Por que esses jovens não estão em casa fazendo a lição? Por que não estão arrumando a mesa do jantar ou ajudando em casa? Quem deixa os filhos ficarem vagabundeando em estacionamentos? Isso não é vadiagem?

Queria que existisse uma música chamada "Nguyen e Ari", uma cantiga sobre uma menina vietnamita trabalhadora que ajuda os pais a cuidarem de uma franquia do Holiday Inn e faz a lição de casa no saguão, e Ari, um esforçado menino judeu que faz trabalho voluntário em casas para idosos, que se encontram no cursinho depois da aula. Eles se ajudam a estudar para o vestibular e outras provas e, depois de meses de estudos e montanhas de anotações, se beijam castamente ao ouvirem que foram aprovados nas universidades desejadas. Essa é uma música que os adolescentes precisam decorar. Essa sim é uma música que eu pediria no Johnny Rockets!

No ensino médio, eu me divertia em clubes acadêmicos, assistindo filmes com minhas amigas, aprendendo latim, tendo longos e prolongados *crushes* não correspondidos por caras mais velhos que não me conheciam e, sim, saindo com minha família. Eu gostava de sair com minha família! Mais tarde, adulta, você percebe que jamais sai com sua família. Você tem apenas dezoito anos para passar o tempo todo com eles, e era isso. Então, sim, tudo isso contribuiu para uma época feliz e memorável. Embora eu jamais tenha sido uma estrela.

Como ninguém reparava em mim na escola, eu vigiava todas as pessoas como uma esquisitona observadora, nada diferente do Dr. Allan Pearl, personagem de Eugene Levy em *Waiting for Guffman*, que "sentava perto do palhaço da classe e o analisava". Mas eu fazia isso com todo mundo. Me ajudou muito como escritora, você nem faz ideia.

Desejo que adolescentes ambiciosos saibam que está tudo bem se forem jovens quietos e observadores. Além de ser um encanto para os pais, vocês vão ter muito tempo depois para recuperar esse tempo. Muitas das pessoas com quem trabalho – atores famosos, escritores renomados – foram subestimadas no colégio. Seja como Allan Pearl. Sente perto do palhaço da classe e observe. Aí cresça, pegue tudo que aprendeu e seja pago para ser um palhaço da vida real, diferente de qualquer coisa sem graça que o palhaço da classe do ensino médio esteja fazendo agora.

O refrão de "Jack & Diane" é: *Ah é, a vida continua, muito depois da empolgação de viver ter acabado.*

Está me zoando? A empolgação de viver era o *ensino médio*? Ah, por favor, sr. Cougar Mellencamp. Dê jeito na vida.

Todo mundo foi convidado, menos eu? (Ou, como fiz minha primeira amiga de verdade)

No nono ano eu tinha uma amiga secreta. O nome dela era Mavis Lehrman. Mavis morava a algumas ruas da minha casa em uma casa estilo Tudor, que em todo Halloween os pais dela deixavam parecida com o chalé da bruxa má de *João e Maria*. (Isso é incrível, aliás. Convém todo mundo que mora em uma casa em estilo Tudor deixá-la parecida com um chalé de bruxa de vez em quando.) Os Lehrmans eram uma família criativa e excêntrica que meus pais consideravam boas pessoas. Mavis era minha amiga de sábado, o que significa que ela ia para a minha casa no sábado e passávamos a tarde assistindo à televisão juntas.

Mavis e eu ficamos próximas por causa das comédias. Não importava se era boa ou ruim; aos 14 anos, nem sabíamos a diferença. Éramos *nerds* de comédia, adorávamos assistir e falar sobre isso sem parar. Nos enfiávamos na sala de televisão da minha família com cobertores e passávamos horas vendo o Comedy Central. Lembrando que não é o Comedy Central de hoje, cheio de programas ótimos como *South*

Park, The Daily Show e *The Colbert Report*. Era o comecinho dos anos 1990, quando você precisava procurar muito para achar coisas decentes para assistir. Começávamos pelos programas bons, *Dr. Katz, Terapeuta profissional, Kids in the Hall*, ou reprises de *Saturday Night Live*, mas, quando acabavam, tínhamos sorte se encontrássemos algum filme velho passando, como *Porky's* ou *Kentucky Fried Movie*. Com todas as comédias vulgares e apelativas dos anos 1980 que passavam no Comedy Central, às vezes parecia que estávamos assistindo a um canal de pornografia leve. Não era nossa programação preferida, mas, assim como a bandeja de *croissants* do Costco que minha mãe deixava para nós na mesa da cozinha, Mavis e eu devorávamos assim mesmo. Amávamos comédia e queríamos assistir a tudo. E, mais do que isso, amávamos encenar o que tínhamos visto. Os bordões de *The Church Lady* eram os nossos bordões, e repetíamos até minha mãe falar, de saco cheio: "Por favor, parem de falar 'Não é especial?' nessa voz estranha. É irritante para mim e para todo mundo".

Aos 14 anos, Mavis já tinha 1,78m de altura. Tinha o cabelo curto, escuro e puxado para trás, igual a Don Johnson em *Miami Vice*. Era muito magra e calçava 41-42. Sei disso porque uma vez ela calçou os sapatos *dockside* do meu pai em casa sem querer. Mavis era uma grande apreciadora da comida, o que meus pais adoravam. Quando fazia visitas, tinha o hábito de imediatamente abrir a geladeira e se servir de uma enorme tigela de qualquer resto de comida indiana que tivesse e também de um copo de suco de laranja. "Esse *roti* com *aloo gobi* está delicioso, dra. Chokalingam", dizia ela para minha mãe, enquanto mastigava. "Você deveria abrir um restaurante." Minha mãe sempre protestava quando Mavis a chamava formalmente de "doutora", mas acho que, em segredo, ela gostava. Estava farta de alguns dos meus outros amigos falando coisas do tipo "Ei, Swati, como vai a clínica?", daquele jeito moderno que nós-chamamos-os-pais-dos-amigos-pelo-primeiro-nome, típico dos jovens da Costa Leste criados liberalmente. Meus pais eram apaixonados por Mavis. Quem não amaria uma garota faminta, cortês e respeitosa?

Mas isso era no sábado. Na escola, eu tinha um grupo de amigas totalmente diferente.

Meu grupinho da escola era fechado, e éramos quatro: Jana, Lauren, Polly e eu. Éramos amigas desde o ensino fundamental, só dois anos, mas parecia uma vida toda. O número de pessoas do grupo era importante por causa de todo o material de melhores amigas personalizado com "JLMP", as primeiras letras dos nossos nomes. Tínhamos pulseiras com miçangas formando JLMP, meias com JLMP bordado. Encomendamos de um caricaturista na Faneuil Hall, em Boston, um desenho de nós quatro com JLMP em letras cursivas gigantes no fundo. Essas lembranças consolidaram nosso quarteto para nós e para as outras pessoas da escola. Ninguém podia entrar, ninguém podia sair. Nada traduz impermeabilidade e proximidade tão bem quanto uma camiseta com uma estampa de *silk-screen* de um acrônimo que a maioria não entendia muito bem. O JLMP sabia quem Mavis era – ela passou a vida toda na nossa escola, desde o jardim de infância, mais tempo do que qualquer uma de nós –, mas isso não fazia diferença em nossa visão do panorama social. Não falávamos ou pensávamos sobre ela; era como se Mavis fosse uma professora de espanhol substituta ou algo assim.

A Cheesecake Factory teve um papel importante na vida social do JLMP. Íamos lá toda sexta-feira depois da aula. Esses eram nossos planos alucinantes de sexta à noite. Lembre-se, isso era nos anos 1990, antes que o único jeito de ser um adolescente descolado fosse tendo um filho ou participando de um *reality show* (ou os dois). Ficávamos horas mastigando canudos, fofocando sobre meninos e gastávamos no total uns quinze dólares em uma fatia de *cheesecake* e quatro Cocas. Aí íamos embora e jantávamos normalmente em nossas respectivas casas. Obviamente os garçons nos detestavam. De alguma forma, éramos piores do que os grupos que saíam sem pagar, porque pelo menos eles só apareciam por lá uma vez e nunca mais. Nós, por outro lado, pensávamos ser adoradas clientes fiéis e achávamos que as pessoas ficavam animadíssimas quando chegávamos. *Voltamos, Cheesecake Factory! JLMP voltou! Suas adolescentes descoladíssimas preferidas estão de volta para dar uma animada no pedaço!*

Sei o que você está pensando, que eu ignorava Mavis porque ela não era tão legal quanto o meu grupinho de amigas tipicamente "menininhas", mas não era isso. Primeiro porque o JLMP nem era descolado. Adolescentes que têm tempo para estar em um grupinho tão fechado geralmente não são as populares. As meninas realmente populares têm namorados e a partir daí começam a desencanar um pouco de amizades femininas tão intensas para explorar coisas como o sexo. Nós não. Sexo? Esquece. O JLMP não pensava nisso para antes da pós-graduação. Sim, éramos o tipo de meninas que, aos 14 anos, se imagina na pós-graduação. Consegue formar uma imagem mais clara de nós agora?

Mavis tinha os amigos dela. Talvez por causa da altura e dos cabelos curtos, andava mais com meninos. O grupinho dela eram os *techie boys*, os que construíam os cenários das peças e andavam orgulhosamente vestidos todos de preto, cobertos de respingos de tinta. Os *techie boys* tinham nomes legais tipo "Conrad", "Xander" e "Sebastian". Meio que como se os pais deles tivessem tido a esperança, ao dar esses nomes diferentes, de que tivessem mais chances de se tornar líderes na escola. Infelizmente, os líderes de nossa escola tinham nomes como "Matt" ou "Rob" ou "Chris" e não seriam vistos nem mortos perto do teatro da escola, a menos que estivessem lá para receber um troféu de futebol em um evento de esportes. Mavis e os amigos dela construíam cenários lindos para as nossas peças, como *Evita*, *Rags* e *Cidade dos anjos*, e não recebiam nenhum reconhecimento por isso. Era meio que esperado que construíssem os cenários, como era esperado dos serventes que limpassem os corredores.

Ainda que Mavis pudesse ser confundida com um menino de quase todos os ângulos, tinha a pele clara e as maçãs do rosto bem altas de um personagem de Edith Wharton. Pensando agora, ela cumpria todos os pré-requisitos para ser uma modelo de passarela em Nova York, especialmente porque estávamos no começo dos anos 1990, quando era uma vantagem parecer um menino esquálido sem busto. Mas nossa escola era atrasada, e o padrão que fazia sucesso era o de corpo curvilíneo, pequeno, totalmente norte-americano, no estilo Tiffani Amber Thiessen, que Polly e Lauren tinham em alguma medida. No colégio, Mavis não era considerada bonita nem popular. Nem eu, nem com muito esforço e imaginação, mas pelo menos não assomava sobre os garotos da sala uns 13 centímetros acima.

Vivíamos de acordo com um código estranho: Mavis e eu podíamos ser amigas de sábado à tarde, mas sextas à noite e festas do pijama de fim de semana eram do JLMP. Se soa estranho e compartimentado, é porque era mesmo. Mas eu estava acostumada. Minha adolescência toda foi um mapa altamente organizado de atividades: vinte minutos para tomar banho e me arrumar para a escola, cinco minutos para o café da manhã, 45 minutos de aula de latim, meia hora para o almoço, 45 minutos para o ensaio da banda de jazz etc. Compartimentar as amizades não era diferente para mim. Mavis e eu dávamos "oi" nos corredores e nos cumprimentávamos com um aceno de cabeça. Às vezes, sentávamos próximas na sala de estudos. Mas Mavis não se encaixava nas minhas amigas do colégio.

Até que as coisas começaram a mudar.

Em um sábado à noite, o JLMP estava na minha casa. Elas queriam ver *Dormindo com o inimigo*, o filme em que Julia Roberts finge a própria morte para fugir do marido psicopata, sabe? E eu queria assistir *Monty*

Python's Flying Circus e mostrar para elas o Ministry of Silly Walks, um dos esquetes mais engraçados e mais famosos deles. Mavis e eu tínhamos assistido várias vezes seguidas antes, tentando imitar os passos. Mostrei a elas. Ninguém riu. Lauren falou: "Não entendi". Coloquei de novo. Nenhuma reação. Eu não conseguia acreditar. O mesmo esquete que tinha feito eu e Mavis rirmos até a barriga doer deixou minhas melhores amigas entediadas e quietas. Cometi o clássico erro de tentar explicar a piada, como se uma ótima explicação talvez fosse a chave para extrair uma gargalhada delas. No fim, Polly disse com delicadeza: "Acho que é engraçado de um jeito meio aleatório".

Uma hora depois, estávamos assistindo Julia Roberts dar descarga na aliança e começar uma vida nova em Iowa com uma identidade falsa. Mal consegui aproveitar o filme, ainda abalada pela total falta de interesse das minhas amigas por algo que eu amava tanto. Sempre soube que, sim, talvez o JLMP não se interessasse tanto por comédias quanto Mavis, mas fiquei assustada com o completo descaso delas. Me senti duas pessoas diferentes.

O que aconteceu comigo foi algo que penso que acontece com vários escritores de comédia ou comediantes profissionais, ou com qualquer pessoa que descobre que é apaixonada por algo. A maior parte das pessoas que faz o que eu faço é obcecada por comédias, especialmente durante a adolescência. Acho que todos nós passamos por aquele momento em que nossos amigos ou a família não-obcecados-por-comédia ficam meio: "Não. Bateu no meu limite. Não consigo mais ficar falando de *In Living Color*. É engraçadinho, mas vamos lá, né?".

E mais e mais verifiquei que não queria fazer o que o JLMP queria fazer. Como na vez em que Lauren quis que eu fosse com ela numa loja de lã na Harvard Square para aprendermos a tricotar. Relutante, usei minha mesada para comprar um novelo de lã. Para quem eu estava tricotando? Se eu desse um cachecol de tricô para a minha mãe, ela ficaria preocupada por me ver desperdiçar tempo em coisas inúteis como tricô, em vez de estudar. Dar uma peça de tricô de presente para os meus pais seria como dar a eles um relatório detalhado da minha ociosidade.

E Jana, a boa e velha Jana, era louca por cavalos. Louca e alucinada por cavalos – era o negócio dela. Todos os desenhos, histórias de férias e fantasias de Halloween dela eram sobre cavalos. Ela até fingia ser um cavalo no intervalo e no almoço. Tínhamos que dar pizza em sua boca, e ela abaixava a cabeça para agradecer. Eu estava ficando de saco cheio de passar 45 minutos em um carro com os pais dela para ir à hípica fingir que ligava, enquanto ela cavalgava de um lado para o outro em seu recital equino ou algo assim.

Dei por mim querendo passar mais tempo com Mavis do que com o JLMP. Passava a semana toda esperando o sábado para escrever alguns esquetes com ela. Não queria mais que ela fosse minha amiga secreta.

Em uma sexta-feira de novembro, não fui ao Cheesecake Factory com o JLMP. Chamei Mavis para passear comigo no *shopping* depois da aula. Nunca tínhamos passado um tempo juntas fora de nossas casas. Mavis ficou surpresa, mas aceitou. Fomos ao Arsenal Mall depois da escola. Compramos balas de goma na loja de doces a granel; andamos pela Express e The Limited, experimentando várias coisas sem comprar nada. Foi estranho estar com Mavis no mundo real, mas estranho-bom.

Na sexta-feira seguinte, furei de novo com o JLMP para poder assistir a *Quanto mais idiota melhor* com meu irmão e Mavis. Passamos a noite inteira recitando: "Wayne's World! Party Time! Excellent! Schwing!". Mavis e eu passamos um bom tempo discutindo a ascensão de Rob Lowe como comediante. (Repito, éramos *nerds* da comédia. Isso era empolgante para nós.) Na sexta-feira seguinte, fomos à casa dela, onde o sr. Lehrman nos ensinou a usar a filmadora dele para podermos gravar um esquete que tínhamos escrito e que usava os personagens de Gap Girls, aquele quadro antigo do *SNL* com Chris Farley, Adam

Sandler e David Spade vestidos de funcionárias da Gap. Mavis interpretava David Spade e Adam Sandler. Eu interpretava Chris Farley e todos os outros personagens. Foi nessa altura que Mavis e eu viramos amigas de verdade. Amigas na escola.

Passei a maior parte das férias de inverno com Mavis, indo a Harvard Square para ver filmes e comprando livros de comédia. Descobri que ela não gostava tanto de fazer compras quanto o JLMP, mas eu tinha minha mãe e minha tia Sreela para isso, de qualquer forma. Eu ainda considerava as meninas do JLMP minhas melhores amigas, mas comecei a furar com elas mais e mais vezes. A mãe de Jana chegou a ligar para a minha mãe para falar o quanto Jana ficou magoada por minha ausência num grande show de cavalos. Em uma tarde de sexta-feira, no meio de fevereiro, Mavis e eu estávamos no RadioShack tentando encontrar um tripé para usar com a filmadora do pai de Mavis. Era no *shopping* onde ficava a Cheesecake Factory do JLMP. Na descida da escada rolante dava para enxergar dentro do restaurante. Foi quando vimos as meninas. Jana, Lauren e Polly estavam sentadas juntas em uma cabine. Elas riam e conversavam em volta de uma fatia de *cheesecake*, mas sem mim. Só JLP. Fiquei muito magoada e envergonhada. Sim, eu tinha feito outra amiga, mas isso dava a elas o direito de organizar um encontro em que eu fosse tão excluída assim? Por um segundo, odiei Mavis. Não soube bem por que, talvez por testemunhar a humilhação, ou por involuntariamente ser a causa disso? Minha reação imediata foi correr até elas e confrontá-las. Mas aí pensei... por quê? O que faria depois de confrontá-las? Sentar lá e fofocar sobre coisas para as quais eu nem ligava mais?

Mavis disse baixinho: "Se você quiser ir lá com elas, entendo completamente".

Algo na forma inesperada como Mavis disse isso me deixou muito feliz por estar com ela e não com as outras. Por algum motivo, imediatamente pensei em como meus pais sempre foram encantados com Mavis e foi nesse momento que entendi: ela era uma boa pessoa. Foi uma sensação tão boa perceber o quanto meus pais estavam certos o tempo todo. "Está brincando?", falei. "Temos que ir para casa e gravar o esquete."

Enquanto descíamos a escada e caminhávamos para o estacionamento onde os pais dela nos buscariam, meu ego ainda estava ferido, mas também identifiquei um outro sentimento: alívio.

Pouco depois disso, o resto do JLP também se desintegrou. Polly começou a se interessar mais por música e se aproximou do grupinho que fumava no fim da rua, no Bosque das Fadas. Surpreendentemente, Jana foi a primeira a começar a namorar. Um menino tailandês bem legal chamado Prem, que estava no último ano, a convidou para sair. Prem era muito possessivo, e em algumas semanas Jana estava aprendendo tailandês, e eu nunca a encontrava. Lauren e eu, que éramos as que menos tinham coisas em comum, nos afastamos rapidamente sem o amortecimento das outras duas. Foi quase como se livrar de um fardo quando não tivemos mais que nos manter em contato.

No fim do primeiro ano do ensino médio, éramos apenas Mavis e eu. Uma vez sugeri, meio brincando, que chamássemos nossa amizade de M&M, e Mavis me olhou amigavelmente, mas com um pouco de desgosto. Não era nem um pouco a cara dela. Ela continuou amiga dos *techie boys*, e eu até almoçava com eles de vez em quando. Eles eram inteligentes, divertidos, mais vanguardistas do que os outros meninos da escola e conheciam muito de política, um assunto para o qual quase ninguém ligava. Mas meu círculo de amizades com certeza encolheu. Não tinha um grupinho com quem desfilar confiante pelos corredores. Era só Mavis e eu, mas nunca parecia solitário porque nunca parávamos de falar. Eu podia falar com sinceridade sobre quem era o melhor garoto do corredor sem ter que explicar de quem estava falando. Uma amiga com quem você tem muito em comum é melhor do que três com quem você precisa se esforçar para achar algum assunto. Nunca precisamos de acessórios de melhores amigas, porque com amigos de verdade você não precisa oficializar. Só acontece.

No penúltimo ano do colégio, os Lehrmans se mudaram para Evanston, Illinois, mas Mavis e eu seguimos em contato. Ela me ligava para contar dos espetáculos incríveis que o pai dela a levava para ver no Second City, e planejávamos uma visita minha, mas nunca aconteceu. Quando nos formamos no colégio, ela foi para a Cooper Union, em Manhattan, para seguir sua paixão por cenografia, e eu fui para Darmonth atrás da minha paixão por pessoas brancas e parcas North Face. Trocamos *e-mails* por um ano e pouco, mas lá para o segundo ano de faculdade os *e-mails* cessaram. Fomos envolvidas pela faculdade. Eu me lembrava de Mavis quando meus pais perguntavam dela nas férias. "Como anda Mavis?", minha mãe questionava. "Acho que bem", eu respondia vagamente, pensando em mandar um *e-mail* para ela qualquer dia, mas nunca mandando.

Mavis me ajudou a aprender muito sobre mim mesma e quem eu queria ser. Amo comédias, e agora vivo cercada de pessoas que amam falar sobre isso tanto quanto eu. Gosto de imaginar que Polly tem uma banda, Lauren entrou para o clube de tricô e Jana encontrou um bom cavalo para construir a vida. Ainda que Mavis tenha sido minha amiga secreta, ela é a única que espero reencontrar. É a única em quem ainda penso. Espero que ela também pense em mim.

AMO NOVA YORK
E ELA ATÉ
GOSTA DE MIM

Falhando em tudo
na melhor cidade do mundo

Hesitei em escrever esse relato porque, claro, preferiria que todo mundo achasse que fui um prodígio que simplesmente aterrissou no cargo em *The Office* sem nenhum esforço. Quero que você me imagine como um personagem fofinho de *anime* que brotou de trás de um cogumelo ou algo assim e apareceu em Hollywood. Mas escrever sobre meus obstáculos foi bem divertido, na verdade. Além disso, quem gosta de ler sobre sucesso? Assassinos em série bem-sucedidos, talvez.

A FACULDADE ACABOU COMIGO

Sem querer ser arrogante ou algo assim, eu meio que arrebentava na faculdade. Sabe aquele ditado "peixe grande em lago pequeno"? Na Dartmouth eu era um tremendo tubarão em uma piscina comunitária. Escrevia peças, atuava, cantava, era a cartunista do jornal dos alunos. Tudo isso, claro, era menos em função do meu talento do que do fato de o *campus* ser na zona rural de New Hampshire, onde a única opção de entretenimento ficava a uma hora e meia de carro até Manchester, e isso se você tivesse a sorte de pegar uma turnê do Capitol Steps.

Depois de jogar *beer pong*, descer em um tobogã no rio Connecticut, ir aos rituais de trote das fraternidades, construir esculturas e queimá-las no centro da nossa quadra, *a cappella*, e dirigir até Montreal rumo a boates de *strip*, as produções teatrais dirigidas pelos estudantes ocupavam um sólido sétimo lugar na lista do que era divertido fazer no *campus*. Tínhamos um público cativo e pouco exigente, o que foi a receita para o sucesso esmagador e o motivo do ego inflado que tenho até hoje. Se você não foi lá grande estrela no colégio, recomendo que vá para uma faculdade no meio do nada. Tive toda a atenção que poderia querer. Se tivesse ido para a NYU, agora eu seria a assistente mais divertida em um escritório de advocacia em Boston.

Adquiri ainda mais confiança com a companhia constante da minha melhor amiga, Brenda. Algumas palavras sobre Brenda. Bren é foda. Na faculdade, foi a protagonista de todas as peças da Dartmouth do primeiro semestre até o fim. Tinha a aparência que uma *socialite* de Manhattan deveria ter: postura perfeita, tipo uma gazela, e um manto de cabelos loiros escuros. As meninas sempre tinham medo de que ela fosse roubar seus namorados, mas ela nunca fez isso. (Nunca entendi. É a faculdade! Roube uns namorados, pelo amor de Deus!) Bren e eu nos demos bem de cara e nos tornamos inseparáveis pelo senso de humor compartilhado, um balde de piadas internas sem sentido e os mesmos inimigos no departamento de teatro. Nos ligamos uma à outra com uma lealdade cega, como Lord Voldemort e sua cobra Nagini. Eu era Nagini, claro. Se você mexesse com uma de nós, sabia que tinha mexido com as duas, e Voldemort jogaria em você um feitiço mortal, ou Nagini pularia na sua jugular. Foi uma época muito boa e dramática. Bren era o tipo de melhor amiga que eu sonhava ter na infância. Nunca soube que dava para ter alguém na vida que estivesse sempre na mesma frequência que você em praticamente tudo.

No teatro, Bren interpretava Beatrice, Medeia ou Eliza Doolittle, enquanto eu escrevia comédias de um ato só que enchiam o auditório e ocasionalmente interpretava a amiguinha de Medeia ou algo assim. Eu me sentia uma grande celebridade no *campus*. Bom, o tipo de celebridade concebível na Dartmouth, se você não fosse um atleta ou uma menina das irmandades, que eram as celebridades mesmo. Minha fama era semelhante à de Camilla Parker Bowles, digamos.

Em 2010, Bren foi minha acompanhante no Emmy.
As pessoas achavam que ela estava em *Mad Men* e que eu era sua assessora.

Nossa outra melhor amiga, Jocelyn, que conhecemos por meio do grupo de canto, foi meio que a responsável direta por fazer a experiência universitária tradicional ser divertida. Ela era menos competitiva e intensa e era havaiana, então ficava muito confortável em ficar pelada, o que era muito novo e intimidante para nós. Ela, junto com outra amiga nossa, Christina, nos fazia colher frutas e pintar o rosto para os jogos de futebol e organizava jantares na nossa sala de jantar compartilhada. Jocelyn é esbelta e semiasiática e, mesmo tendo todos os requisitos para ser modelo, não se interessava por isso. Ela é legal a esse ponto. Por outro lado, sempre que perco tipo dois quilos, basicamente começo a cogitar se não deveria "tentar" a carreira de modelo. Quando nós três saíamos juntas, eu parecia a menina indiana que mantinha o grupo "real". Não ligo. Depois de todos esses anos com amigos de 1,70m ou mais, aprendi a viver com a confiança de uma pessoa alta. Tudo está na mente. Funciona.

Jocelyn e Brenda sendo realmente adoráveis
em alguma coisa para a qual não lembro de ter sido convidada.

Então, terminei a faculdade me sentindo uma pessoa bem-sucedida, incrível e alta. Até que, em julho de 2001, nós três nos mudamos para Nova York.

SONHOS COM *LATE NIGHT*, RAPIDAMENTE EXTINTOS

O emprego que eu mais queria no mundo era o de roteirista no *Late Night with Conan O'Brien*. Não acredito que Conan já teve outros dois programas depois desse. Parece que foi ontem.

Eu tinha sido estagiária no *Late Night* três anos antes e fui reconhecidamente uma das piores estagiárias que o programa já teve. O motivo é que tratei o estágio como um passe livre para ver meu herói se apresentar ao vivo todos os dias e não como um jeito de fazer o programa funcionar melhor levando os recados. Minha chefe, a coordenadora de roteiro, não gostava nem um pouco de mim. Não só porque meu trabalho fosse ruim, mas porque odiar tudo era um dos traços da personalidade dela. Sabe aquelas pessoas que justificam suas personalidades sarcásticas e negativas falando orgulhosamente que são "nova-iorquinas de alma"? Ela era uma dessas. O bordão preferido dela era "Você está usando *crack*?". No meu último dia, ela apertou minha mão sem nenhuma firmeza e deu um "tchau" sumário, sem desviar os olhos do catálogo da J. Crew.

Quando cheguei a Nova York, não sabia nem como me candidatar para o emprego. Não tinha mantido contato com ninguém do *Late Night* porque, mesmo com 19 anos, sabia que ninguém deseja ficar em contato com o estagiário. Eu botava fé no ensinamento de Woody Allen de que 80% do sucesso se resume a dar caras. Pensei comigo mesma: *Sério? 80%?* Claro, posso simplesmente *dar as cara*. Cheguei, Nova York! Me contrate!

Acontece que os outros 20% são a parte meio que difícil e obscura.

Escrevi uma carta para a NBC perguntando como poderia enviar esquetes para serem analisados para o *Late Night*. Recebi uma carta de resposta dizendo que a emissora não podia nem *abrir um envelope* que contivesse material criativo que não fosse enviado por um agente. Achei a frase "não pode nem abrir o envelope" meio dramática. Jurídico da NBC, seus dramáticos. Essa rejeição inicial funcionou como um *negging* da NBC comigo, para citar meu livro favorito, *O jogo*. E funcionou. A NBC virou o cara gato da balada com quem eu precisava ficar. Quando finalmente consegui pegar, anos depois, claro que ele estava em quarto lugar, meio gordo, ficando calvo e se vestindo um pouco pior, mas peguei.

CASA É ONDE A CAMA ESTÁ

Eu estava desempregada, mas Brenda e Jocelyn também estavam. Alugamos um apartamento tipo *railroad* em Windsor Terrace, Broolkyn. O apartamento *railroad*, para quem nunca viu, é projetado com base no desconforto de um vagão de trem dos anos 1930. Todos os cômodos são enfileirados, e você tem que atravessar um cômodo para chegar no próximo. Tudo nele é horrível, a não ser que você precise de um cenário para uma peça que se passe durante a Grande Depressão. As únicas pessoas para quem essa configuração íntima funcionaria seriam três melhores amigas que não tivessem nenhum segredo, se sentissem (suficientemente) confortáveis em serem vistas peladas e não tivessem namorados (ou pelo menos não os convidassem para ir em casa). Nós mesmas!

Moradia foi nossa primeira decepção em Nova York: estávamos de olho no bairro moderninho de Williamsburg, com várias cafeterias chiques, lojas legais e caras bonitinhos e héteros. Eu sabia que não teria dinheiro para gastar naquelas cafeterias e lojas, ou cara de pau de conversar com um daqueles caras alternativos, mas gostaria de estar ali no meio e achava plausível ter aquela vida. Depois de visitar vários apartamentos em porões que estavam fora do nosso orçamento, acabamos aceitando Windsor Terrace. Quando nos mudamos para lá, Windsor Terrace era um minibairro vizinho do Park Slope que poderia ter sido o cenário externo da maior parte de *Welcome Back, Kotter*. Não era bizarro, mas também não era maravilhoso. A maior parte da população era de casais lésbicos de meia-idade que tinham aceitado o nobre desafio de melhorar a vizinhança.

Brenda e eu dividíamos o quarto do meio e a cama de casal que cabia ali, e Jocelyn ajeitou para ela um tipo de cabana chique-boêmio no último quarto, que, ainda que fosse o único cômodo com privacidade, também era do tamanho de um banheiro para deficientes. Ela instalou uma cama suspensa e pendurou um pano de batique embaixo, e lá passava horas lendo livros e revistas. Jocelyn é o tipo de pessoa que entra em qualquer quarto, mede e imediatamente tenta pendurar uma cama em algum lugar. Até hoje ela mora em um apartamento com uma cama suspensa.

Foi uma boa distribuição, porque Jocelyn tende a acumular coisas, e algum grau de contenção foi crucial. (Acumular tem uma conotação pejorativa agora, mas você precisa entender que isso foi antes de o programa *Acumuladores* pintar os acumuladores como ermitões terríveis com problemas psicológicos. Joce é uma acumuladora do tipo animada, sociável e luzinhas-de-Natal-o-ano-todo.) Jocelyn guardava pilhas de revistas de seis anos atrás porque poderia ter uma receita de jambalaya em alguma delas, o que seria necessário caso um dia fizéssemos um jantar temático de Mardi Gras. (Não era loucura dela, porque ocasionalmente fazíamos umas coisas assim.) Pessoas que visitavam nosso apartamento e viam seu covil cortinado provavelmente deduziam que Jocelyn era uma cigana que herdamos como condição para poder ficar ali.

Eu estava numa fase em que aparecia em todas as fotos fazendo cara de "uau!".

E a escada. Oh, a escada. A escada do nosso apartamento no terceiro andar era a mais íngreme, difícil e metálica que encontrei em toda a minha vida. Perfeita para matar alguém e fazer parecer um acidente. Nosso vizinho do andar de baixo era um homem banguela, com uns oitenta ou noventa e poucos anos. Morava com o que pareciam ser dois parentes mais novos, e com "mais novos" eu quero dizer uns sessenta anos. No auge do verão ou do inverno eles usavam aquelas regatas brancas caneladas que tinham o nome horrível de "espancador de esposa", e foi assim que soubemos que eles eram inquilinos do programa de aluguel controlado (se alguém usa essas regatas o ano todo, dá no mesmo que dizer que está aproveitando os benefícios de um apartamento de aluguel controlado). Também falavam entre eles em um idioma que parecia uma versão híbrida de uma língua do leste europeu e um resmungo incompreensível dos capangas de Dick Tracy. Poderiam ser assustadores, se não fossem incrivelmente tímidos e não tivessem medo *de nós* por algum motivo. Eram como aquele monstro do Pernalonga quando ficava com medo do rato e corria gritando de volta para o castelo.

No verão, gatos ferais com calor se agarravam às grades da janela da nossa sala, miando tristemente até jogarmos copos d'água neles. Quando esfriava, as baratas migravam para dentro e montavam ninhos em todos os ralos. Uma vez ou outra, quando acordava de madrugada para ir ao banheiro, sentia alguma coisa sendo esmagada e estalando de um jeito nojento embaixo do meu pé, e sabia que teria que limpar uma barata do calcanhar. Esse era o nosso apartamento. Encaramos o ruim como muito bom. Além disso, conseguíamos bancar, o Prospect Park não ficava tão longe, e as pessoas deduziram que éramos lésbicas, então encaixamos bem na vizinhança. Ficou tudo bem.

Até tentarmos ir atrás dos nossos sonhos.

Jocelyn me acompanhando no metrô
para o meu primeiro espetáculo de microfone aberto.

SOU PÉSSIMA EM TUDO

Tudo que aprendi sobre tentar ser contratada como escritora de comédia veio da seção de filme e televisão da Barnes and Noble do Lincoln Center. Não tinha dinheiro para comprar tantos livros, então passava horas sentada no corredor copiando trechos em um caderno. Eu não era o pior incômodo. Tinha aspirantes a roteirista de cinema espalhados por todos os cantos. Eles pediam só um café durante muitas horas. Um cara que eu sempre via por lá frequentemente levava uma pizza grande e comia inteira tranquilamente enquanto escrevia à mão cartas de consulta para agências literárias.* A única coisa realmente válida que aprendi na Barnes and Noble do Lincoln Center foi que o único jeito de ser contratada por um programa de TV era escrevendo um *spec*, ou um roteiro simples de um programa já famoso. Foi quando comecei a trabalhar no meu primeiro *spec*, de *Will & Grace*, tendo visto o programa pouquíssimas vezes.

Fui a uma audição em Nova York. Não estava muito interessada em uma vaga de atriz, mas aquela era perfeita para mim. Era uma audição aberta para *Bombay Dreams*, um musical extravagante produzido por Andrew Lloyd Weber transferido de Londres para a Broadway. Fui incentivada pela relativa falta de atrizes entre 18 e 30 anos que cantassem, morassem na região de Nova York e também parecessem indianas. Nada deixa você mais confiante do que fazer parte de um grupo demográfico pequeno, estranhamente específico e de características difíceis de encontrar.

A primeira audição de *Bombay Dreams* foi uma audição de canto. Apresentei "Somewhere Out There", de *Um conto americano*. Vi algumas moças indianas na sala de audições, mas a maior parte eram garotas

---

* É importante ressaltar que essa Barnes and Noble nem existe mais – deve ser porque ninguém comprava livros lá.

latinas tentando passar por indianas. Na folha de inscrição para a audição estava escrito que era para uma produção de *Amor, sublime amor*.

Minha audição de canto deu muito certo, principalmente porque ficaram aliviados por ver uma indiana de verdade por lá. Na saída, a assistente me acompanhou até a rua e disse: "Estamos muito felizes por você ter vindo". Assenti recatadamente como se tivesse feito um milhão de outros testes mais empolgantes naquela semana e fui embora. Estavam *muito felizes por eu ter ido lá*? Por que não me davam logo o contrato para assinar? No metrô, já comecei a pensar no que faria quando conseguisse o papel. Primeiro iria ao Dean & Deluca e compraria uns docinhos de marzipã em forma de frutas, uma coisinha cara que eu reparei que mulheres brancas e mais velhas com cara de chiques compravam. Depois pagaria uma dedetização no nosso apartamento para acabar com as baratas. Depois levaria Bren e Joce para jantar no Le Cirque, como se eu fosse um coroa rico esquisito e elas fossem minhas acompanhantes jovens.

Fui chamada para uma audição de dança. Nunca dancei na vida e nem sabia o que vestir. Fui até um *outlet* de roupas de dança em Chelsea, tinha visto propagandas de lá na *PennySaver*. As peças eram mais baratas porque tinham pequenos defeitos, o que significava que as cores eram estranhas ou alguns botões tinham caído. Adquiri uma meia-calça marrom, um *collant* cor-de-rosa e uma reluzente sainha branca que ficava presa na cintura e era fechada com velcro. Finalizei a produção com uma tradicional sapatilha de balé cor-de-rosa. No espelho dividido do provador da loja, uma menininha asiática que estava experimentando roupas de balé com a mãe disse: "Mãe, você deveria se vestir assim", *apontando para mim*. A mãe chamou a atenção da criança em um idioma asiático. Foi a cereja do bolo. Nunca me senti mais graciosa na vida.

Na audição eu parecia uma imbecil. As outras moças estavam vestidas como dançarinas de verdade: *leggings* pretas discretas, regatas e tênis. Eu parecia uma animadora de festa infantil vestida de Angelina Bailarina, a rata que faz balé. Um coreógrafo meio Kevin Federline ensinou uma coreografia de Bollywood incrivelmente difícil que deveríamos fazer para uma gravação. Tropecei em todos os passos como um caminhoneiro grogue que entrou na sala por engano, ofegante e perdendo quase todas as marcações. KFed me interrompeu antes do final da música e gentilmente me ofereceu um pouco de água. Ri, porque, como todo mundo sabe, rir é um ótimo jeito de disfarçar quando se está ofegante. Deixei a sala com o pretexto de tomar um copo d'água e saí correndo do prédio. Até hoje, aquela é a performance mais vergonhosa da minha vida e existe uma gravação em algum lugar. Acho que Andrew Lloyd Webber assiste quando está meio triste.

Meu *spec* de *Will & Grace* foi um desastre. Na tentativa de alcançar o tom babadeiro e gayxcêntrico do programa, escrevi um texto tão ofensivamente exagerado que na real soou como uma apologia a sentimentos antigay.

Tudo caminhava lindamente para eu embarcar em uma completa depressão. Uma coisa boa de Nova York é que a maior parte das pessoas é totalmente funcional, mesmo com um grau baixo de depressão. Não é como em Los Angeles, onde as pessoas estão sempre se esforçando tanto para estar alegres e mental e fisicamente saudáveis que, se sentirem que você está meio para baixo, elas evitam você. Além do mais, aquele sol todo é um deboche quando você está deprimido. Em Nova York, até destruído você se sente encaixado. Mas ainda era difícil fracassar de forma tão consistente em tudo em que eu já tinha sido boa no nível Camilla Parker Bowles.

Brenda e eu daríamos um jeito nisso, mas ainda não sabíamos.

O nível exato de fama que desejo

É óbvio que desejo ser superfamosa e amada por todo mundo. Por isso entrei nesse rolo. Felizmente amo escrever piadas, mas, vamos ser sinceros, esse foi o meio para atingir o objetivo.

Muitas vezes, quando estou na sala dos roteiristas de *The Office* às onze horas da noite e o roteiro que estamos reescrevendo está parado porque temos que esperar o chefe aprovar o figurino da personagem Pam para a filmagem do dia seguinte, minha mente vagueia. Primeiro me pergunto se algum dia terei a oportunidade de morar numa casa na árvore igual àquela de *A cidadela dos Robinson* na Disneyland, que tem uma concha gigante como pia. Depois de chegar à conclusão de que não, nunca vai acontecer, penso na quantidade exata de fama que gostaria de ter.

Para mim, a pessoa que tem a melhor fama é Conan O'Brien. Quando estagiei no *Late Night*, pensei: *Nossa, esse cara arrebenta nessa história de ser famoso.* Ninguém ligava para o que ele vestia (uns ternos de cores escuras), o cabelo era sempre o mesmo, e ele sentava sempre na mesma mesa em todos os episódios. Claro que era um gênio trabalhador, mas foi o único famoso que vi sendo sempre ele mesmo. Todos os outros tinham que fingir ser outra pessoa. Conan fazia piadinhas que eram totalmente a cara dele, entrevistava celebridades que estavam muito mais bem vestidas do que ele e ainda fazia demonstrações de culinária. (Quando estagiei lá, notei que ele nunca comia os pratos durante os intervalos comerciais. Eu não entendia esse grau de disciplina.)

Não quero ser Regis ou Kathie Lee, porque as cadeiras deles são muito altas. Desculpa, mas preciso ficar uma hora sentada assim? Sangue demais indo para os meus tornozelos. Não, obrigada.

Uma vez vi Paris Hilton saindo de um restaurante em Hollywood, cercada pelas câmeras dos *paparazzi*. Pareceu muito desconfortável. Não porque ela não estivesse sensacional – era a combinação perfeita de estilosa e piranha –, mas porque os *paparazzi* gritavam perguntas absurdamente rudes e invasivas. Tipo, com quem ela estava dormindo e coisas assim. Eu estava meio interessada na resposta, então fiquei feliz por eles terem perguntado, mas ainda assim foi nojento.

Então, atrás de Paris, vi Sacha Baron Cohen sair quietinho do restaurante, completamente despercebido, ir até o manobrista, entrar no carro e ir embora. Dá para acreditar? Era Sacha Baron Cohen, porra! (Não sabia ao certo onde colocar o *porra* na frase, mas acho que escolhi bem.) Nenhum dos *paparazzi* sabia quem ele era, mas ele também era, assim como Conan, um dos comediantes vivos mais respeitados e icônicos do mundo. E aí pensei: *Cara, quero ser famosa assim.*

Aqui estão mais algumas formas como eu adoraria ser famosa (preciso declarar que os direitos dessas ideias tecnicamente são da NBC-Universal, porque as imaginei enquanto eles pagavam meu salário).

NUNCA TER QUE ESPERAR NA FILA DO *BRUNCH*

Como todas as pessoas normais, eu nunca colocaria um adesivo no para-choque do meu carro. Entretanto, se achasse um com a frase "O inferno é uma fila para o *brunch*", talvez comprasse mil e plastificasse o carro todo com eles. Eu queria ser tão famosa que, se decidisse sair para comer no domingo de tarde, alguém me passaria na frente de uma longa fila de meros mortais esperando no sol, rumo a uma mesa particular.

VER OS LAKERS O TEMPO TODO

Olha, nem preciso dos lugares de Jack Nicholson, nem nada do tipo – honestamente, quem precisa viver o risco constante de um cara suado de 2,10 metros e 110 quilos cair em cima de você? –, mas adoraria ser tão famosa que as pessoas com ingressos para ótimos lugares ficassem loucas para me levar junto com elas. Só quero sentar perto o bastante para perguntar para as Laker Girls sobre as suas regras de maquiagem.

ADOLESCENTES IDOLATRAREM MEU *LOOK*

Há alguns meses, em um sábado, eu estava na Benefit Cosmetics comprando uns brilhos labiais e tentando arrumar umas amostras grátis. Enquanto estava lá, vi duas meninas adoráveis do nono ano fazendo maquiagem para a colação de grau delas naquela noite. As duas tinham fotos de Emma Watson como referência. Com a idade delas, fiz a mesma coisa com fotos de Meg Ryan. Era obcecada pelo cabelo repicado no inesquecível filme *A lente do amor*. Cabelo repicado não combinava com o meu rosto. Se quer saber, fiquei parecendo um comediante itinerante da década de 1980 em turnê. "Um", no masculino.

Copiar o corte de cabelo de uma celebridade é uma forma de admiração invejável. Como eu sei que ninguém nunca vai querer copiar meu corte de cabelo, vai ter que ser alguma outra coisa. Talvez as jovens invejem meus antebraços perfeitamente depilados.

SE APOIAR UMA CAUSA, REALMENTE AJUDAR

Sean Penn, tipo, mora no Haiti, não é? Aí já é demais. Eu não conseguiria. É uma bondade radical. Mas eu adoraria causar um impacto enorme sendo a voz de uma causa, meio como Mary Tyler Moore acabando com as corridas de carruagens no Central Park.

SER CONDENADA PELA PATRULHA DA MODA CONSTANTEMENTE E NEM DAR BOLA

Existe um quê de valentona em alguém como Helena Bonham Carter, que não está nem aí para as besteiras que a Patrulha da Moda fala. E quando falo Patrulha da Moda é claro que estou falando daquele grupinho de gays escandalosos e "experts" em moda daquele programa do canal E! que ainda é conduzido pelo cadáver reanimado de Joan Rivers. Joan, na verdade, ainda é ótima. Em um Emmy Awards há alguns anos, ela disse que meu vestido me fazia parecer uma formanda do inferno. Aquilo me traumatizou a semana toda, mas até eu tive que admitir que foi engraçado. O ponto é que só me traumatizou porque *eu tinha tempo* para ficar traumatizada. Quero ser tão famosa e ocupada a ponto de achar esses insultos divertidos e rir deles naturalmente antes de embarcar no meu jato particular para ser embaixatriz da ONU em Camarões ou algo assim.

AS ESQUISITICES QUE VESTIR SEREM IMEDIATAMENTE CONSIDERADAS ESTILOSAS

Meio que relacionado com o que acabei de falar. Desejo sair por aí de calça saruel ou batom preto igual a Gwen Stefani, e as pessoas falarem "Isso é muito Mindy", e todos começarem a usar.

QUANDO ENVELHECER, SER UMA PIADA VISUAL PARA OS PROGRAMAS DE TV

Quero ser tão famosa que as pessoas me coloquem em seus programas de TV como a velhinha enrugada que consegue fazer todo mundo rir muito só porque ninguém nunca viu um saco de ossos tão velho recitando frases decoradas e porque minha imagem traz memórias nostálgicas da juventude de todo mundo. Os alternativos do futuro vão me amar ironicamente.

NUNCA SER PRESA

Seria ótimo ser tão famosa que, se matasse alguém, nunca, jamais, fosse para a cadeia, mesmo que fosse totalmente óbvio para todo mundo que fui a autora do crime.

TER QUE TER UM PSEUDÔNIMO

Li que Michael Jackson tinha receitas médicas de Demerol sob o pseudônimo de Jack London. Muito da vida de Michael Jackson foi trágico e estranho, mas esse detalhe é muito legal. Acho que ele ficou tipo "Vamos ver, vamos ver. Quem eu quero homenagear no meu pedido de remédio? Quer saber? Sempre amei *Caninos brancos*. Vai ser Jack London". Meu pseudônimo para hotéis e essas coisas seria Gwendolyn Trundlebed, um nome nada a ver que sempre amei, inventado pelo meu amigo Mike Schur durante a terceira temporada de *The Office*.

MINHA SUBSTITUTA FAZER UMA PLÁSTICA PARA FICAR MAIS PARECIDA COMIGO

Nos filmes, atores às vezes têm substitutos. O substituto é um ator contratado para ficar no lugar de outro ator para fins de iluminação, aí o ator principal pode ir cochilar ou usar drogas no *trailer*. Trabalhei em um filme uma vez em que o ator principal (um ator muito famoso que vou chamar de Tony Dash) viajava com o substituto pessoal. Eles eram melhores amigos. Já é esquisito ser melhor amigo de alguém parecido com você, mas o mais esquisito é que o substituto tinha feito várias plásticas para ficar mais parecido com Tony. Acredito que ele fez isso para Tony nunca, jamais pensar em contratar outro substituto, e ele ter um emprego seguro para o resto da vida. Ele parecia uma versão meio derretida do ator famoso. Era horrível e incrível ao mesmo tempo. Transmitia muito poder. Quero ter uma versão levemente grotesca minha me seguindo nos *sets* pelo mundo e passar as férias com ela.

CAIR NA PEGADINHA DE KENAN THOMPSON NO *SNL*

Não sei se odiaria ou amaria que isso acontecesse. Existem argumentos para os dois. De momento, eu diria que amaria.

Etiqueta de karaokê

Tirando os homens de negócios japoneses, ninguém gosta de karaokê mais do que eu. Quando me formei na faculdade, minha tia Sreela e meu tio Keith me deram o melhor presente que já ganhei: um karaokê profissional. Não sei se eles planejavam virar meus tios favoritos por toda a eternidade, mas o resultado foi esse. Quando cheguei no Brooklyn com Bren e Jocelyn, ligamos o aparelho de karaokê na TV antes de termos camas ou um sofá. Nos revezávamos para cantar Whitney Houston numa sala vazia, enquanto as outras duas sentavam de pernas cruzadas, impacientes, esperando a vez.

Por termos ficado desempregadas muito tempo nos primeiros meses e também por sermos malucas por cantar músicas cafonas, cantamos muito no karaokê. Agora, em Los Angeles, todas as melhores festas de aniversário a que eu vou acontecem em bares de karaokê ou, se for para ter a experiência completa do karaokê, em salinhas escuras e fechadas com cheiro de asinhas de frango à moda coreana em Koreatown. A seguir, algumas coisas que acho que realmente maximizam a experiência do karaokê.

Quando escolho músicas para karaokê, tenho três preocupações: (1) o que a música dirá sobre mim?, (2) como vou soar cantando?, (3) como as pessoas vão se sentir?

O segredo é que a terceira delas é a mais importante, umas cem vezes mais do que as outras. Quando canta em um karaokê, a maioria das pessoas se imagina como um concorrente do *Ídolos*, canta e interpreta com a alma. Mas acho que deveriam se ver mais como DJs temporários da festa. É meio que uma responsabilidade. Cabe a você escolher uma música bacana e animada que pilhe seus amigos para se divertirem, beberem e ficarem com alguém.

E também é meio que conveniente escolher uma música curta. Nem ligo se Don McLean aparecer de *smoking* vermelho, branco e azul, ninguém tem o direito de cantar "American Pie". É meio que desagradável para o grupo de festeiros escolher uma música com mais de três minutos.

Alguns adendos: gosto quando pessoas miúdas cantam músicas fortes, como, por exemplo, se minha amiga Ellie Kemper cantar "Big Spender" num tom estrondoso. Também admiro quando homens cantam músicas de meninas, mas não de uma forma exagerada. Um cara cantando "Something to Talk About" para valer é maravilhoso. Os homens às vezes fazem esse negócio de escolher uma música de Britney ou Rihanna e fazer uma performance exagerada da cantora para serem engraçados, e é um porre. Uma coisa incrível é escolher uma música em outro idioma. Por isso sempre fico inclinada a escolher "La Isla Bonita", de Madonna, no karaokê. Eu morreria se um cara cantasse uma música do Gipsy Kings. Morreria de um jeito bom, lógico.

Bicos

Em outras partes deste livro, você acompanhou minhas tentativas frustradas de atingir meus objetivos profissionais no ramo do entretenimento morando em Nova York. Esta seção é sobre minhas tentativas de conseguir bicos. Primeiro eu tinha nomeado esse capítulo de "Mamãe tem que pagar as contas", mas achei que o título dava a impressão de que eu tinha trabalhado como *stripper* ou arrumado uma prole de filhos ilegítimos.

Era outubro de 2001 e eu morava em Nova York. Tinha 22 anos. Assim como várias amigas minhas, sofria de uma estranha combinação de ansiedade pós-atentado de 11 de setembro e ansiedade auge-de-*Sex--and-the-City*. São ansiedades distintas e enervantes. As questões que passavam pela minha cabeça eram tipo:

> *Será que devo guardar uma máscara de gás na cozinha? Deveria ter condições de bancar sapatos Manolo Blahnik? O que é Barneys Nova York? Você está me dizendo que um lugar chamado "Barneys" é chique? Cadê os amigos gays fabulosos que me prometeram? Os gays me odeiam! Isso é antraz ou açúcar? Socorro! Socorro!*

A minha maior fonte de estresse era estar em Nova York havia três meses e ainda não ter arrumado um emprego. Sabe aqueles livros com nomes do tipo *De sem-teto a Harvard, Da cadeia a Yale* ou *De Skid Row a Skidmore*? São histórias inspiradoras sobre jovens superando as piores circunstâncias e entrando com sucesso em universidades. Eu tinha medo de virar história de um tipo de livro ao contrário: um conto patético de uma menina com uma educação ótima que desperdiçou tudo assistindo a *Law & Order* em um sofá no Brooklyn. *De Dartmouth à imbecilidade* seria o nome. Eu precisava de um emprego.

CUIDANDO DE CRIANÇAS E COMENDO A COMIDA DELAS

Depois de espalhar centenas de panfletos verde fluorescente por todas as áreas ricas do Brooklyn e Manhattan, finalmente consegui um trabalho como babá. Eu pagava minha parte de 600 dólares do aluguel cuidando de duas menininhas adoráveis chamadas Dylan e Haley. Eram de uma família rica de Brooklyn Heights. Não rica simplesmente no sentido de estudar em uma escola particular. Rica no sentido de cada-uma-ter-o-próprio-andar-em-um-prédio-de-Brooklyn-Heights-e-só-usar-roupas-orgânicas. Acho que "loucamente cheia de grana" é um jeito mais acurado de explicar. O pai delas inventou a internet ou algo assim (não era Al Gore), e toda vez que eu entrava na mansão deles na rua Pineapple, falava para mim mesma: *Essa é a casa que a invenção da internet construiu.* Os pais de Dylan e Haley tinham se divorciado alguns anos antes, e nunca conheci o Pai Inventor da Internet. Só interagi com a Mãe e Ex-Esposa do Inventor da Internet, que parecia uma versão um pouco mais velha de Alicia Keys. A Mãe e Ex-Esposa do Inventor da Internet me contratava nas noites em que tinha encontros ou planos com as amigas todas de preto e todas glamourosas. Depois li que o Pai Inventor da Internet estava namorando uma famosa supermodelo internacional. Eles gastavam pacas. Se meu emprego de babá fosse nos dias de hoje, eles teriam uma dinastia de *reality shows* no canal Bravo, e eu seria a acompanhante pixelada de suéter de tricô levando as meninas para os assentos cativos dos jogos dos Knicks.

Uma vez a Mãe e Ex-Esposa do Inventor da Internet me deu um vidro fechado do perfume Happy da Clinique que alguém deu para ela e ela sabia que não usaria. "Não é chique nem nada", disse acanhada, como se me presenteasse com um vidro de perfume de farmácia.

Que mundo é esse?, pensei. *Clinique não é mais chique?*

Fiquei meio preocupada com a ideia de ser babá no começo porque, apesar de ter a voz de uma menina de onze anos, não tenho habilidade natural com crianças. Não sou daquelas mulheres que se derretem quando veem um bebê e na hora sabem todas as perguntas certas sobre uma criança daquela idade. Sempre deduzo coisas erradas e ofendo as pessoas. "Ele já fala? O que ele fala faz sentido, ou ainda é só barulho?" Além disso, sempre tenho medo de arranhar as crianças sem querer ou algo assim. Sou aquela que olha para a criança, sorri nervosa e contribui com a conversa anunciando roboticamente para os pais: "Seu filho parece saudável e bem cuidado".

Então, foi impressionante eu ter arrebentado como babá. Ok, talvez "arrebentar" seja uma expressão ruim e potencialmente problemática para expressar o que quero dizer. O ponto é que fui uma babá excelente. O fato de as crianças me acharem genial ajudou. Era muito fácil parecer genial para Dylan e Haley quando eu ajudava na lição de casa. Por exemplo, uma noite expliquei que *mockingbird* no título de *To Kill a Mockingbird* (O sol é para todos) era, na verdade, um símbolo do personagem Boo Radley. Dylan olhou para mim fascinada. "Por que você está de babá?", perguntou ela. "Por que não está dando aula na faculdade?"

Também sei do que menininhas gostam de falar: bandas de garotos. Eu e Haley conversávamos durante horas sobre com qual membro do 'N Sync gostaríamos de casar. Depois de longa deliberação, a resposta era sempre J. C. Chasez. O sobrenome de Joey Fatone soava como "Fat One" (o gordo), independentemente de quanto ele fosse ótimo, e, mesmo que naquela idade não soubessem que Lance Bass era completamente gay, elas sentiam que ele seria melhor como um bom amigo e confidente. Quanto a Justin Timberlake, bom, JT era o mais legal e mais gato, mas era muito exibido, não dava para esperar que fosse fiel. J. C. Chasez era a escolha inteligente. Conversávamos assim, na maior seriedade e sem nenhuma ironia, por horas. O motivo para ter sido uma babá melhor do que as outras é que eu nunca apressava as meninas. Em mim elas tinham uma ouvinte com a mente aberta para escutar todos os prós e contras de passar o resto da vida com cada um dos membros do 'N Sync. Talvez eu tenha aprendido mais com isso do que elas.

A verdadeira diversão começava quando as meninas iam dormir: ligar *Showtime at the Apollo* naquele lugar lindo e me entupir de lanchinhos de criança. Lanches de criança são os melhores, porque "de criança" simplesmente quer dizer "lixo total". Eu comia *nuggets* de frango no formato de animais, balinhas de fruta em formato de frutas e frutas em cubinhos mergulhadas em calda. Descobri que crianças odeiam que a comida lembre sua forma original na natureza. Elas curtem aquelas coisas porque lixo processado é incrivelmente gostoso. Passei noites de sábado excelentes vendo Mo'Nique entrar no palco do Apollo enquanto comia um punhado de vitaminas infantis mastigáveis, enrolada no roupão de *cashmere* da minha patroa. Fazia tanto isso que acabou virando um problema. Uma noite, depois de sair do banho, Haley me puxou de canto, arrasada pela culpa: "Minha mãe queria saber quem comeu todas as pizzas de *bagel* em formato de tartaruga, e eu sabia que foi você, mas menti e disse que fui eu". Ela caiu no choro. Eu a abracei e disse: "Você nunca pode contar a verdade para ela". E aí deixei que ela ficasse uma hora a mais acordada assistindo *Lizzie McGuire*. Subornos e bandas de garotos. É tudo de que você precisa para ser babá.

Ser babá não pagava as contas nem me dava um convênio médico, o que acho que foi bom, porque do contrário agora eu provavelmente seria empregada residente em algum lugar. Eu precisava arrumar um emprego de verdade.

SONHOS DE ATENDENTE NA REDE

O programa de atendente na rede TBN é muito respeitado, e é mais difícil entrar nele do que em Harvard. Não, TBN não é o nome real da emissora, mas tem um velho ditado que diz "não cuspa no prato que comeu", e ele se aplica bem aqui. O programa de atendente da TBN transforma jovens ambiciosos e supereducados de vinte e poucos anos em mordomos amigáveis e desinformados. Eu não tinha certeza de que fosse muito a minha cara, mas parecia ser o primeiro degrau de uma escada que, de alguma forma, me levaria a trabalhar na TV. Jovens roteiristas de TV aspiram a vagas de atendentes da TBN na esperança de que algum apresentador de programas de entrevistas como Craig Ferguson ou David Letterman os escutem fazendo algum comentário engraçadinho enquanto conduzem uma visita e digam: "Você é brilhante! Por que não vem trabalhar comigo e ser meu melhor amigo?". Eles contratam só uns 70 ou 80 atendentes por ano, de uns 42 milhões de candidatos. Decidi que a sorte não estava a meu favor, o que estranhamente me fez sentir ainda mais que conseguiria o emprego. Os filmes de esporte fizeram uma lavagem cerebral e me convenceram de que, quanto menores as chances de as coisas darem certo, mais inevitável é o sucesso.

Sou o tipo de pessoa que prefere manter expectativas realmente altas e vê-las serem destruídas do que sabiamente mantê-las moderadas e esperar que sejam superadas. Essa característica me tornou uma amiga carente e teatral, mas também me deu uma vida emocional espetacularmente dramática.

Enfim, fui chamada para uma entrevista no programa. Usei um terninho e uma saia risca de giz que encomendei do catálogo de roupas da Victoria's Secret. Sabe aquela seção em que eles conseguem fazer uma mulher de macacão parecer uma piranha? Sim, impressionante.

Me senti incrível – igual a uma das amigas de Ally McBeal, mas em tecidos mais baratos.

Cheguei quinze minutos adiantada para a entrevista, o que foi o primeiro de três erros que cometi. Meu entrevistador era um homem barrigudo e calvo chamado Leon. Era um dos caras que mandavam no programa de atendentes, e ficou óbvio que a hora do almoço era a pausa de meia hora que ele tinha daquele trabalho infernal de entrevistar uma fila de ambiciosos jovens liberais detestáveis recém-formados em escolas de artes. Leon não tinha uma recepcionista para me dizer que eu precisava esperar do lado de fora. Não existia um "lado de fora" em seu escritório minúsculo. Ou uma sala de espera, como eu pensei que teria. Não era um emprego elegante o suficiente para dar a ele salas extras. Minha chegada antes da hora significava que, ou ele teria que me entrevistar, ou eu teria que ficar batendo perna por Midtown um tempo. Infelizmente ele escolheu a primeira opção. Relutante, colocou o almoço do Quiznos de lado e me falou para sentar. *Strike* número um.

A vida foi dura com Leon, a corpulência e a calvície escondiam sua relativa juventude. Vi uma foto dele com duas criancinhas e perguntei: "Esses são seus filhos? Que fofos".

Ele ficou horrorizado. "Tenho 25 anos. São meus sobrinhos. Você acha que eu tenho filhos?"

Não consegui esconder a surpresa. "Ah! É que você não parece, hã, você parece mais maduro."

Leon gesticulou para mim. "Temos praticamente a mesma idade."

Sem pensar, respondi imediatamente: "Bom, na verdade sou três anos mais nova". Por que no mundo achei que era uma boa ideia corrigi-lo? Ah é, porque eu era uma idiota impertinente.

Strike número dois.

Leon me perguntou, de olho no seu sanduíche do Quiznos, por que eu queria ser uma atendente na TBN. Respondi honestamente, dizendo que ficaria honrada em trabalhar para uma empresa sensacional que exibia todos os meus programas preferidos quando eu era mais nova e que as oportunidades que viriam do programa de atendente pareciam ótimas.

"Espera aí." Leon me interrompeu. "Então você quer o emprego pelas oportunidades *que ele oferece*?"

Fiquei desorientada. "Quer dizer, esse é um dos motivos pelos quais estou me candidatando."

"Esse emprego é mais do que um degrau." Leon anotou uma palavra de poucas letras no meu currículo que só pode ter sido *ódio* ou *eca*. *Strike* número três.

Nessa altura, Leon estava francamente aborrecido. O que ele queria? Que eu dissesse que tudo o que sonhava para o auge da minha vida era levar as pessoas para conhecer os bastidores de programas de entrevista matinais? Ah, é. Sim. Era exatamente o que ele queria que eu dissesse. Saí de lá certa de que não tinha conseguido o emprego. Nem dava para ficar arrasada, pois tinha sido um desastre do começo ao fim.

Agora, quando vejo meu amigo Jack McBrayer representando com excelência Kenneth, o atendente de carreira da NBC em *30 Rock*, entendo o tipo de comprometimento que Leon esperava de mim. Me pergunto se Leon agora é consultor do programa. Ou ainda é atendente.

EU TRABALHO PARA UM MÉDIUM DA TV

Ainda trabalhando de babá, sem convênio médico, comecei a virar misofóbica, pois não podia correr o risco de ficar doente e ter que ir para o hospital. Por um amigo de um amigo, consegui uma entrevista para uma vaga de iniciante como assistente de produção em um programa que chamarei de *Ponte para o outro mundo com Mac Teegarden*. Era um programa de TV a cabo com o médium Mac Teegarden, que transmitia mensagens de amigos e parentes mortos das pessoas do auditório.

Na manhã da minha entrevista para a vaga, eu tinha uma espinha enorme no rosto. Uma espinha gigante é uma notícia horrível para qualquer pessoa, mas, se você tiver a pele escura e uma bolota branca no meio da testa, é especialmente nojento. Não era nem uma espinha estoica, daquelas que somem se você estourar; essa era um cisto, doía e tinha raízes que pareciam chegar no meu cérebro. Pensei em adiar a entrevista, mas seria muito em cima da hora, e eu queria omitir o fato de que era *vain flake*, alguém que pode faltar a compromissos por causa de vaidade, até onde fosse possível. (Coincidentemente, Vain Flake é o nome do meu perfume, disponível nas melhores farmácias e supermercados.) Então, com a minha espinha brilhando como um globo de espelhos, fui para a entrevista.

Meus entrevistadores foram uma produtora de segmento chamada Gail e uma produtora executiva chamada Sally. Sally era uma mulher forte, de aparência masculina, mas atraente. Ela me lembrou uma versão loira de Rosie O'Donnell em seu ápice: interessante, confiante e meio brusca.

As duas eram muito legais, e pareciam muito preocupadas em preencher a vaga aberta pela saída do último assistente de produção, que se demitiu repentinamente para entrar no Teach for America. (Obrigada, Teach for America! Recrutando as melhores cabeças do país para podermos ficar com os empregos deles.) Minha entrevista durou oito minutos. Eu sabia digitar, podia pegar café, não tinha sotaque. Acho que meu globo de espelhos na testa foi um amuleto da sorte!

Trabalhar para um médium da TV não era o que meus pais esperavam depois de investir na minha graduação, mas o emprego tinha convênio médico, e isso agradou minha mãe. Minha mãe é médica e meio que militante da questão dos convênios médicos, por isso devo parecer levemente obcecada por eles. A descrição dos benefícios era mais legal do que o trabalho em si. Fui trabalhar em um lugar que ficava na periferia do mundo da televisão e me pagava 500 dólares por semana! Pode tocar "Holiday" da Madonna! Manda as margaritas!

Sempre achei que médiuns eram velhos de olhos de vidro, uma coisa meio *Arraste-me para o inferno*, mas Mac Teegarden era absolutamente normal. Era um cara de trinta e poucos anos, ex-flebotomista e ex-professor de dança de salão com um sotaque de Long Island. Era atraente no estilo Mario Lopez, com o cabelo penteado para trás e um guarda-roupa de camisetas justas de mangas longas. Parecia o tipo de cara que malha duas vezes por dia, é um ótimo marido e leva a esposa em baladas em Manhattan quatro meses depois de Justin Timberlake ter ido lá. Gostei muito dele.

Minha chefe era Gail, a que me entrevistou. Gail tinha uns quarenta anos, era solteira e amava o mundo de *Sex and the City* mais do que qualquer pessoa que já conheci; acho que ela se fundiria com o programa se pudesse. (Vou reforçar aqui o quanto a cultura de *Sex and the City* era penetrante em Nova York em 2002. Você podia ser caloura da NYU, guarda de trânsito ou uma judia ortodoxa que morava em uma yeshivá: você assistia a *Sex and the City*.) Sem me conhecer nem um pouco, Gail me apelidou de Minz. Eu reajo muito bem a pessoas forçando intimidade um pouco antes da hora comigo. Demonstra dedicação e gentileza. Tento fazer isso o tempo todo. Faz me sentir parte de uma comunidade grande, acolhedora e familiar.

Gail chegava nas segundas-feiras falando longamente sobre *Sex and the City* (que passava aos domingos) e sobre como refletia perfeitamente a vida dela. Eu sabia que ela queria ter uma vida digna de um programa de TV de Manhattan e também que ficava decepcionada quando eu deixava de cumprir o adorável papel de coadjuvante. (Aliás, não estou de jeito nenhum diminuindo o papel divertido do coadjuvante. Eles sempre usam camisetas havaianas, chinelos e essas coisas. Eu ficaria muito feliz em ser a versão feminina e indiana do que Rob Schneider é para Adam Sandler, para praticamente qualquer pessoa.)

"Como anda a vida amorosa, Minz?", ela perguntava avidamente, esperando se divertir com detalhes explícitos.

Eu nem tinha uma. "Ah, sabe como é. Muito difícil encontrar caras", dizia vagamente, esperando que a falta de vida sexual parecesse misteriosa em vez de patética.

"Você é muito Charlotte", ela respondia. Gail pegava limões e fazia uma limonada. Essa é a parte boa de ser uma tonta com os homens: às vezes você pode fingir ser fina e reservada.

Gail amava falar do quanto estava estressada. Ela tinha uma mania de, quando estávamos andando em algum corredor, parar do nada, esfregar as têmporas com os dedos médios e indicadores e teatralmente emitir um gemido gutural: "Mooog".

"Mooog. Minz. Estou tão estressada", ela falava. "Só quero ir para casa, abrir uma garrafa de vinho tinto, tomar um banho quente, acender umas velas e ouvir David Gray."

Um comentário a meu respeito: não acho que estresse seja um assunto para ser conversado, ao menos em público. Ninguém quer ficar ouvindo sobre o quanto os outros estão estressados, porque na maior parte do tempo *todo mundo está estressado*. Ficar falando sobre isso e detalhando o meu estresse não é conversar. Nunca leva a lugar algum. Ninguém vai falar: "Nossa, Mindy, seu caso é *especialmente* ruim. Já ouvi várias histórias sobre estresse, mas essa *ganha de todas*".

Isso é porque meus pais são profissionais liberais imigrantes, e falar sobre o nível de estresse de alguém é totalmente fora da realidade deles. Quando eu tinha três anos, minha mãe estava no meio da residência médica em Boston. Ela era ginecologista e obstetra na Nigéria, mas nos Estados Unidos teve que refazer toda a residência. Ela acordava às quatro da manhã, preparava o café, o almoço e o jantar para mim e para o meu irmão porque sabia que não chegaria a tempo de jantar conosco. Saía de casa às cinco e meia para começar os turnos no hospital. Meu pai, arquiteto, foi contratado para trabalhar em uma obra em New Haven, Connecticut, que ficava a duas horas e 45 minutos de distância de casa. Teria sido mais fácil ele se mudar para New Haven durante a construção do prédio, mas quem ficaria conosco quando minha mãe tivesse que passar a noite no hospital? Na mente fértil dos meus pais, não ter nenhum dos dois na supervisão era a porta aberta para drogas, sequestros, ou, no mínimo, excesso de televisão. Para poder passar mais tempo conosco e guardar dinheiro para a família, meu pai nos deixava na escola, viajava as duas horas e 45 minutos todas as manhãs e ainda voltava a tempo de nos buscar no programa de atividades extracurriculares depois da aula. Íamos para casa e ele nos fazia cachorro-quente de lanche, embora fosse vegetariano e nunca tivesse comido um cachorro-quente. Em toda a minha vida nunca ouvi meus pais dizendo que estavam estressados. Não era uma frase permitida durante minha criação. Isso e o conceito de "ter um tempo para mim".

É impressionante como trabalhei no setor administrativo de *Ponte para o outro mundo* sem nunca pensar muito se acreditava mesmo no que Mac fazia. Minha única interação com Mac Teegarden envolvia trabalhar para os produtores dele. Para quem nunca assistiu ao programa, Mac entra em uma sala com um auditório e faz perguntas que são apresentadas como informações que ele recebeu ao se comunicar com parentes ou amigos já falecidos das pessoas do auditório. Depois de contatar o falecido, ele repassava uma mensagem e o programa acabava. Então um produtor puxava a pessoa escolhida de canto, a entrevistava mais a fundo e criava um quadro sobre ela. Eu era uma das assistentes que corria atrás da pessoa escolhida, reunindo fotos e fazendo com que ela assinasse autorizações.

Quando os espectadores voltavam para casa, alguns ainda me ligavam. Eles me viam como a mensageira do mensageiro. Tenho que admitir que era muito mais divertido brincar de condutora médium do que escanear fotos o dia inteiro. Passava horas falando com as pessoas, ininterruptamente, sobre seus entes queridos que se foram. Não tinha nenhuma informação mediúnica nova para eles, mas era uma pessoa nova para eles confiarem e conversarem. Era estranhamente parecido com o trabalho de babá. As pessoas queriam conversar comigo sobre coisas do interesse delas, e eu era boa em ouvir e não pedir que parassem. Isso veio a ser muito útil quando me tornei produtora de *The Office*.

Se tivesse que fazer um juramento, eu admitiria que não, não acredito que Mac Teegarden seja médium. Estava muito familiarizada com Carl Sagan, ciência básica e essas coisas. Mas, por outro lado, tenho certeza de que Mac Teegarden trazia muito conforto para as pessoas que perderam entes queridos inesperadamente. Não sei se era mediúnico, mas era catártico, terapêutico e ajudava as pessoas.

MINDY KALING, ASSEDIADORA SEXUAL

Eu morava no Brooklyn com Brenda e Jocelyn, mas *Ponte para o outro mundo* era gravado no Queens. Se eu fosse pela linha de metrô mais bacana, teria que passar por Manhattan todos os dias para chegar lá, e isso tomava muito tempo. A linha que me levava mais rápido era a linha G, que parava exclusivamente no Brooklyn e no Queens. Essa provavelmente era a única ocasião em que o termo *exclusivo* seria usado para falar da linha G. Naquele tempo, os trens da linha G não eram tão legais. (Peço desculpas ao trem. Tenho certeza de que agora deve estar lindo, com um jardim e uma escola comunitária dentro deles. Mas naquela época não.)

Minha colega de trabalho Rachel também morava no Brooklyn e pegava a linha G comigo. Rachel era uma linda moça judia da minha idade, herdeira de uma dinastia de comida em conserva judaica de Los Angeles. Cozinheira incrível, Rachel fazia seus *bagels* – uma coisa supremamente pretensiosa de fazer em Nova York – e outras comidas deliciosas. Quando eu ia à casa dela ver TV, tinha *rugelach* caseiro para beliscar.

Numa brincadeira hilária, apelidamos a linha G de Linha do Estupro. Certa manhã, fazíamos piadas sobre isso no restaurante do estúdio e não reparamos que Sally, a produtora, estava a poucos passos de nós.

"Você ouviu que abriram novas estações na Linha do Estupro?", perguntei a Rachel.

"Sério? Quais?", ela respondeu.

"Espionagem, Perseguição, Esfaqueamento e Descarte de Cadáver", falei, muito satisfeita com a minha piada. Rachel riu. Fizemos um "toca aqui".

De repente, Sally apareceu atrás de nós. Parecia bem incomodada.

"Meninas, vocês se sentem ameaçadas quando vêm para o trabalho de manhã?", perguntou Sally.

Fiquei em choque por ela nos ter ouvido. Quando você está na parte de baixo da pirâmide, às vezes se sente tão insignificante que parece que ninguém nem ouve você. Meu senso de invisibilidade me tornou sem noção.

Respondemos rapidamente que aquilo era só nosso apelido sem graça e pejorativo da linha de metrô e que, com base em nossas evidências empíricas até aquele momento, estupradores de verdade não costumavam atacar duas moças de uma vez só, às sete da manhã, que éramos babacas e sentíamos muito.

Sally pareceu contrariada. "Não é um assunto muito engraçado para se fazer piadas", ela disse. "É inapropriado." Virou as costas e saiu.

Ficamos horrorizadas. Mais tarde naquela manhã, recebemos recados dizendo que Sally gostaria de nos ver na sala dela.

"Ela vai nos demitir por assédio sexual!", Rachel falou, preocupada.

Eu estava surtada. Assédio sexual é assunto sério. Você não pode ficar fazendo piada sobre estupro no trabalho. Havíamos aguentado um longo seminário sobre assédio sexual e o quanto esse comportamento era passível de demissão. Sarah Silverman podia fazer piadas sobre estupro porque, para ser sincera, ela era muito mais engraçada e bonita do que nós. Esse era o problema de viver em um mundo pós-Sarah Silverman: muitas jovens que carregavam o cetro da inadequação não sabiam lidar com isso.

Comecei a pensar no que diria aos meus pais sobre a demissão. Seria vergonhoso, especialmente porque eu tinha acabado de comprar um caro par de Uggs para a minha mãe com o meu dinheiro. Eram Uggs de "Consegui!". Não sabia como contaria a eles. Decidi que daria para levar por três semanas sem eles perceberem, vivendo do dinheiro que ganhei de presente de formatura dos meus tios. Depois disso, estava ferrada.

Quando entramos, encontramos Sally à espera com Joel, o chefe de Recursos Humanos. Joel tinha um emprego bem difícil, porque, como todo mundo sabe, é absolutamente pavoroso quando alguém do RH quer encontrar você por qualquer motivo profissional. Mesmo que Joel só quisesse sentar a seu lado na sala de descanso para tomar um café, você se sentia um pouco acuado. "Meu Deus, será que Joel vai falar que meu convênio odontológico foi cortado?" Só consegui ficar perto de Joel pelos dez minutos que ele sentou comigo para assinar minha contratação. Depois disso, nunca mais quis vê-lo. Ele era muito parecido com o personagem Toby, de *The Office*.

Nossa situação parecia feia. Agora não só seríamos demitidas e escoltadas pela segurança imediatamente até a saída do prédio, como teríamos esse registro em nossos Arquivos Permanentes nos seguindo de entrevista em entrevista, arruinando nossas carreiras.

"Meninas", Sally disse, "levei muito a sério tudo que vocês disseram hoje de manhã."

Minha linguagem corporal de afastamento de Rachel já era clara. Não queria que nos vissem como siamesas. *Pode demitir Rachel e me manter! Faço parte de uma minoria!*

"Queremos que um carro com chofer cuide do transporte de vocês para cá e para as casas de vocês. Não podemos deixar que corram riscos."

Nem acreditei. Sermos jovens potencialmente contestadoras nos rendeu transporte de graça em um carro para ir e voltar do trabalho, como se fôssemos investidoras. Meus comentários inapropriados e sem graça nos deram tratamento especial em vez de uma demissão. Me senti como Ferris Bueller.

Nosso transporte de carro custava mais para o estúdio do que nossos salários. Todo mundo sentiu inveja instantaneamente. Começaram a puxar nosso saco, na esperança de ganhar uma carona para casa em nosso transporte particular. Eu tratava aquele carro como um fretado interbairros para todos os meus amigos. Foi aí que aprendi que o crime compensa. *De Dartmouth à canalhice!*

Direitos e deveres
de melhores amigas

Por quase oito anos morei com as minhas melhores amigas, ou em um dormitório da universidade, ou em um apartamento minúsculo no Brooklyn. Normalmente, são circunstâncias assim que fazem colegas de quarto ficarem noivas rapidamente de caras aleatórios para se livrarem logo da situação irritante em que vivem. Nós convivemos bem porque mantivemos um código informal de conduta de melhores amigas. Listei os aspectos vitais desse código aqui.

POSSO PEGAR TODAS AS SUAS ROUPAS EMPRESTADAS

Tudo que estiver no seu armário, independentemente de quanto for caro, também é meu, sou sua melhor amiga. Posso pegar emprestado pelo tempo que quiser. Se derrubar algo na roupa ou perdê-la, devo tentar o máximo possível limpar ou comprar uma nova, mas não sou obrigada a isso, e você ainda tem que me amar. Se eu estragar alguma coisa sua e não substituir, você está autorizada a falar mal de mim para nossos amigos pelo período de um ano. É isso. E aí você tem que superar. Fica estipulado que para eu pegar algo emprestado você precisa já ter usado pelo menos uma vez. Não sou um monstro.

NÓS DORMIMOS NA MESMA CAMA

Se estivermos viajando ou se nossos namorados estiverem fora e houver uma cama maior do que uma cama de solteiro, vamos dividir. Seria muito estranho não dividirmos a cama. De que outro jeito poderíamos conversar até pegar no sono?

DEVO SER 100% HONESTA SOBRE A SUA APARÊNCIA, MAS DE FORMA GENTIL

Seu namorado nunca vai falar que a sua saia está apertada demais e fica subindo. Na verdade, você nem deveria perguntar a ele, coitado. Ele quer transar com você independentemente do quanto você está rechonchuda. Sou a única pessoa além da sua mãe que tem o direito (e o dever) de falar isso para você. Nunca devo ser abertamente rude quando alguma coisa não cair bem em você porque sei que é seu ponto fraco, e o meu também. Vou usar a vaga expressão gentil "não achei isso o máximo em você", que deve soar como um "Puta merda, tire isso, está horrível!". Devo a você uma avaliação tipo choque: dolorosa, mas rápida.

POSSO DISPENSAR VOCÊ, SE EU TIVER UM MOTIVO

Posso dispensar você para sair com um cara *só* se essa possibilidade tiver sido discutida e a carona para casa estiver garantida previamente. Em troca, preciso falar muito de você para o cara, para ele saber o quanto eu a amo.

VOU CUIDAR DO SEU FILHO, SE VOCÊ MORRER

Nem consigo escrever sobre isso, é triste demais. Mas, sim, farei isso. E você terá um filho incrível que ouvirá infinitas histórias sobre o quanto você era maravilhosa, linda e perfeita. Casualmente, seu filho vai crescer amando comida indiana.

VOU CUIDAR DE VOCÊ SE ESTIVER DOENTE

Se você estiver paralisada de dor por causa de uma infecção urinária, tenho de me mexer depressa até a farmácia para comprar um remédio para você. Também devo tentar comprar uma revista de moda e doces de que você goste, porque distraí-la da dor faz parte de cuidar de você.

VAMOS TROCAR DE PAPÉIS EM NOSSOS PROGRAMAS

Quando viajarmos juntas, prometo ter iniciativa para dirigir o carro alugado de vez em quando ou usar meu cartão de crédito para as pessoas me pagarem depois. Alguém tem que dar uma olhada no Yelp para ver quais são os lugares bons para um *brunch*. Nenhuma de nós vai ser a princesa o tempo todo. Entendi.

TEREI SEU PRODUTO DE HIGIENE FAVORITO NA MINHA CASA

Embora ninguém mais use absorvente noturno, só você, sua esquisitona, haverá um pacote deles na minha casa para quando você vier.

VALE TAMBÉM PARA SUA SOLUÇÃO DE LENTES DE CONTATO

Não acredito que você ainda não fez uma cirurgia. Você pode pagar. Sei que leu que algumas pessoas ficaram cegas por causa disso, mas foi há vinte anos. Não ter feito uma cirurgia de correção nos olhos hoje é como ser aquela garota que não tinha um celular em 2006.

VOU TENTAR GOSTAR DO SEU NAMORADO CINCO VEZES

É um número justo de vezes para sair junto com seu namorado sem fazer julgamentos.

QUANDO TOMAR BANHO NA SUA CASA, NÃO JOGAREI A TOALHA NO CHÃO

Sua casa não é um hotel. Às vezes eu esqueço, porque você faz dela um lugar muito confortável para mim.

SE VOCÊ FICAR DEPRIMIDA, VOU ESTAR DO SEU LADO

Como todo mundo sabe, pessoas deprimidas estão entre as mais chatas do mundo. Sei disso porque, quando me deprimi, as pessoas desapareceram. Exceto minhas melhores amigas.

Vou estar do seu lado no horrível fim de um relacionamento, ou quando você for demitida do emprego, ou só se estiver vivendo alguns meses ruins, ou um ano. Vou odiar e achar você uma chata, mas prometo não abandoná-la.

SE A LIGAÇÃO CAIR, NÃO PRECISA LIGAR DE VOLTA

Eu entendo. Você entende. A gente leva uma eternidade para desligar mesmo. Isso é uma bênção.

VOU ODIAR E VOLTAR A GOSTAR DAS PESSOAS POR VOCÊ

Mas você não pode ficar brava se eu não conseguir acompanhar. Robby? A gente não odeia o cara? Não, amamos. Tudo bem, tudo bem. Desculpa.

PODE CONSIDERAR MINHA PRESENÇA GARANTIDA

Sei que quando se apaixona por alguém você me esquece completamente. Isso me magoa, mas tudo bem. Por favor, tente lembrar de mandar uma mensagem, se puder, se souber que tem alguma coisa acontecendo na minha vida, como uma promoção no trabalho, ou alguma coisa assim.

NÃO TEM DUAS PESSOAS MELHORES QUE NÓS
A gente arrebenta. Ninguém supera.

Matt & Ben & Mindy & Brenda

Eu estava finalmente pagando minhas contas, mas Brenda e eu não estávamos fazendo nada criativo. Comecei a ficar preocupada com a possibilidade de ter me mudado para Nova York para ser empregada profissional. Como ninguém nos contratava para atuar ou escrever, decidimos criar alguma coisa que nós mesmas pudéssemos encenar. Eu tinha uma janela de uma hora por dia para escrever com ela. Brenda saía para trabalhar como professora substituta em uma escola pública no início da manhã, e eu voltava para casa às três da tarde. Eu saía novamente para trabalhar de babá às quatro horas e voltava entre meia-noite e uma da manhã. Então, entre três e quatro da tarde, a gente se encontrava no apartamento para escrever. Infelizmente não fazíamos bom uso dessa hora. Era comum acabarmos deitadas no sofá vendo a juíza Judy gritar com as pessoas por algum tempo.

Normalmente, nossa hora de trabalho transcorria mais ou menos assim:

SALA DE ESTAR DO APARTAMENTO NO INT. WINDSOR, 15H10

Bren está no computador do meu quarto, comendo Honey Nut Cheerios direto da caixa. Estou sentada na cama, ao lado dela, comendo um pedaço grande de salmão cru que comprei no supermercado. Era meu delicioso "sashimi" caseiro de salmão por uma fração do preço que eu pagaria em um restaurante de sushi, embora não tão seguro. Bren desvia o olhar da tela do computador.

BREN: O que a gente quer fazer? O que queremos dizer?

EU: Acho que devem ser só dois personagens, para não termos que contratar ninguém.

Bren digita isso. Pausa.

BREN: Quer ir ver *Jamie Kennedy Experiment?*

EU: Certo que sim.

Isso durou meses. Podíamos passar a hora inteira discutindo a plausibilidade de Harry Potter sem escrever uma só palavra.

No começo dos anos 2000, os atores Matt Damon e Ben Affleck eram presenças importantes em nossas vidas. Na vida de todo mundo, na verdade. Era o auge do casal Bennifer. Desculpa, odeio ressuscitar esse termo que a mídia felizmente deixou de lado, mas é importante lembrar que fenômeno isso foi. Era como Pippa Middleton mais as pernas da Beyoncé vezes o último produto da Apple. Bennifer era tão grande que dava a impressão de que duas pessoas nunca tinham se apaixonado antes, e eles haviam descoberto isso. Acho que também é fácil esquecer que Bennifer criou a tendência de misturar os nomes de casais de celebridades. Sem Bennifer, não teríamos Brangelina ou Tomkat, nem mesmo os menos usados Jabrobra (James Brolin e Barbra Streisand). Esse é o presente que Ben Affleck e Jennifer Lopez nos deram e que resistiu ao teste do tempo.

Brenda e eu sempre curtimos "bits", mesmo antes de sabermos que o nome daquilo era "bits". Bits são, em essência, "tempo inútil", ou, numa descrição mais pejorativa, "fazer porra nenhuma". Escolhíamos personagens e agíamos como eles por um tempo a caminho do metrô ou enquanto nos arrumávamos para sair. Por um motivo qualquer, nessa época nosso *bit* recorrente favorito era quando Bren representava Matt Damon e eu era Ben Affleck. Encenávamos os "caras" muito naturalmente, mas com uma postura levemente esportiva e almofadinha e vozes levemente mais graves. De novo: já enfatizei como nos adaptamos bem à nossa vizinhança lésbica?

Logo, nosso Matt e Ben tinha uma história de fundo e uma dinâmica rica e completamente inventada. Eles tinham piadas privadas e lembranças em comum, tudo inventado. Não pesquisamos as pessoas reais porque não era importante saber sobre o passado verdadeiro delas; os verdadeiros Matt Damon e Ben Affleck eram simplesmente pontos de partida para os *nossos* Matt e Ben. Era um tipo especial de diversão ser duas melhores amigas representando dois outros melhores amigos.

Quando tínhamos personagens, mesmo que malucos, ganhávamos foco. Se posso dar um conselho para qualquer estudante de teatro na universidade ou no ensino médio, ou para um detento que esteja lendo este livro na prisão com o sonho de ser escalado para o elenco da peça dos presidiários, é o seguinte: escreva seu papel. Foi o único jeito de eu chegar a algum lugar. É um trabalho pesado, mas você precisa tomar o destino nas mãos de vez em quando. Isso obriga você a pensar sobre quais são seus verdadeiros pontos fortes e, quando você os encontra, pode exibi-los, e ninguém pode impedir. Eu não conseguiria mostrar o que fazia melhor em uma reprise de *Nossa cidade* na Off-Off-Broadway. Fazia isso representando Ben Affleck. A premissa para *Matt & Ben* é estranha, mas simples: o roteiro de *Gênio indomável* cai do teto do apartamento de Ben Affleck, então com 21 anos, quando os dois estão trabalhando em uma adaptação para o cinema de *O apanhador nos campos de centeio*. Eles param de trabalhar e questionam a importância do que tinha acabado de acontecer. O tom fica entre *Arquivo X* e *The*

Odd Couple. Aqui vai uma das primeiras cenas que escrevemos. Matt chega atrasado para encontrar Ben, que está irritado com ele. Matt se atrasou porque foi fazer uma audição para uma peça.

MATT

E eu fui, tinha que fazer esse negócio primeiro, e depois vim para cá.

BEN

Que negócio?

MATT

Nada, só uma audição.

BEN

Para o quê?

MATT

Para nada. Não conhece Shepard? Sam Shepard?

BEN

Sim, é claro.

MATT

Conhece?

BEN

Sim, ele fez *O Dossiê Pelicano*, adoro esse cara. E aí? Ele participa da peça?

MATT

Ah, não, ele escreveu a peça. Chama-se *Buried Child*. Ganhou um Pulitzer. Enfim, não foi nada. Não rolou.

BEN

O que não rolou? A audição?

MATT

Não, não sei. Vamos ver.

BEN

Qual é o papel?

MATT

Vince.

BEN

Não, que *tipo* de papel? É bom?

MATT

Sim. Estão procurando um loiro.

BEN

Loiro escuro? Porque você não é loiro.

Inscrevemos a peça no New York Fringe Festival. Jocelyn e nosso amigo Jason produziram, e lotamos todas as apresentações. Acho que foi por causa do nosso incansável *marketing* de raiz. De raiz, nesse caso, significa empapelar com persistência ambientalmente destrutiva toda a região de Manhattan e Brooklyn. Cada um de nós levava uma pilha de cartões postais e os distribuía em todas as lanchonetes, lojas de discos *indie* e bares de fritas que encontrávamos. (Isso aconteceu na janela de oito meses do ano de 2002, quando fritas se tornaram incrivelmente populares.)

Não queríamos contratar um diretor para a peça, então Bren e eu dirigimos. Também atuamos, não só porque era divertido, mas porque, repito, não queríamos contratar e pagar ninguém. Manter o orçamento enxuto era a fonte recorrente de nossas decisões criativas.

O cenário era mínimo, e usávamos roupas de homens que pegamos emprestadas dos irmãos de Brenda, Jeff e Terry. Não tínhamos ideia do que estávamos fazendo, mas tínhamos um *propósito* depois de dois anos morando em Nova York sem ter tido nenhum. *Matt & Ben* foi um intervalo no desamparo.

Em 2002, o Fringe Festival nos escolheu como a Melhor Peça entre quinhentas produções. A *New Yorker* escreveu sobre a produção: "Idiota, divertida e improvavelmente crível... Kaling e Withers criaram uma das mais interessantes histórias de vínculo masculino desde Damão e Pítias. Ou Oscar e Felix". Essa citação foi muito fácil de achar, porque a tenho tatuada em minha clavícula.

Foi então que nossa vida começou a mudar.

Produtores nos procuraram para transferir a peça para a Off-Broadway. Contratamos um diretor, conseguimos um orçamento e finalmente devolvemos o figurino aos irmãos da Brenda. A peça entrou em cartaz no P.S. 122, um belo teatro no East Village que já havia sido uma escola pública. Tem uma coisa muito legal nos prédios em Manhattan que já foram outra coisa em algum momento. Algumas pessoas podem dizer com ar de conhecedoras: "Ah, sabia que esse teatro já foi uma fábrica de zíperes?" ou "Você sabe que essa discoteca já foi uma igreja, não sabe?" ou "Estamos comendo em um restaurante que já foi um centro de contenção de febre tifoide". É isso que eu amo em Nova York. Se Rikers Island algum dia afundar, sei que André Balazs vai transformar o lugar em um hotel para metrossexuais urbanos em um mês, no máximo. As pessoas vão sentar em suas celas/quartos de hotel e falar: "Sabia que um condenado por crimes sexuais morou nesta cela?". A solitária vai ser a suíte de lua de mel.

A peça era curta o bastante para podermos fazer duas apresentações por noite. Isso era desafiador, porque, na peça, o Ben de 21 anos tenta impressionar Matt bebendo uma garrafa inteira de suco de maçã de uma vez só. Então eu bebia mesmo duas garrafas por noite, embora o suco de maçã fosse diluído. Como escrevi bem detalhadamente neste livro, não sou nenhuma menina frágil, mas também não sou um camelo, e fazer isso duas vezes por noite era bem enjoativo.

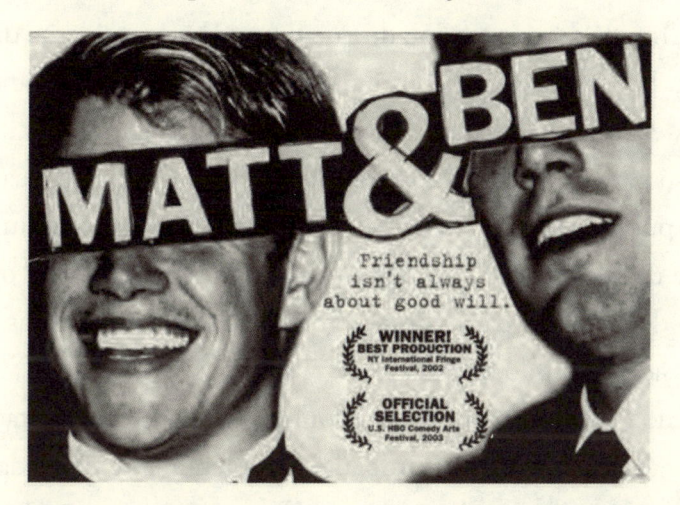

O boca a boca do Fringe ajudou na bilheteria. Nicole Kidman e Steve Martin foram ver a peça na mesma noite, por coincidência, e em pouco tempo a procura cresceu tanto que tivemos que acrescentar a terceira apresentação por noite. Isso significa que eram três garrafas de suco de maçã diluído. Na terceira cortina fechada da noite, eu tinha que fazer um esforço para não vomitar quando me curvava para agradecer aos aplausos. Nunca fiquei tão animada por segurar o vômito.

DERRAMAMENTO DE SANGUE

Na noite em que Bruce Weber do *New York Times* foi assistir à peça para fazer a crítica, acertei acidentalmente um soco no rosto de Brenda e quebrei o nariz dela.

Como alguém fratura acidentalmente o nariz da melhor amiga? Bom, em minha defesa, tinha uma sequência de briga na peça. Acontece perto do fim. Matt fica tão contrariado com a imaturidade de Ben que diz que ele não tem talento. No calor do momento, Ben dá um soco em Matt. Era um soco coreografado que havíamos ensaiado durante semanas. Mas, não sei, talvez estivesse bêbada de suco de maçã, porque acertei o nariz dela. Fez um barulhinho engraçado de rachadura, que eu provavelmente deveria ter notado que Brenda não considerou divertido na hora. Porque Brenda ficou muito ocupada com o sangramento. A camisa dela ficou imediatamente encharcada de sangue. O nariz sangra muito, só para constar. Era como se eu tivesse enfiado uma faca na cara dela. O público reagiu com uma exclamação coletiva; houve um longo instante de silêncio confuso durante o qual Bren olhou para o sangue na mão dela, depois para mim. O gerente da casa acendeu as luzes, e Brenda saiu correndo do palco.

Brenda segurou papel toalha contra o rosto ensanguentado, e fiquei parada ao lado dela atordoada, completamente chocada com o que tinha feito. Nosso diretor David Warren apareceu nos bastidores momentos depois. Se aproximou apressado, com a frieza imperturbável de um soldado que ganha a vida desmontando explosivos. "Vocês têm que terminar. O show tem que continuar. Vão." Nada de rodeios ou de avaliação do nosso nível de conforto. Tínhamos que continuar. Eu nunca tinha ouvido ninguém falar a frase "o show tem que continuar" no sentido literal.

Brenda improvisou um curativo no nariz e voltou ao palco com valentia. Terminamos os últimos dez minutos da peça, nos curvamos para agradecer aos aplausos em pé de uma plateia impressionada, embora horrorizada, depois entramos em um táxi e corremos para o pronto-socorro do St. Vincent's. O nariz de Brenda estava quebrado. Anos depois ela reconheceu que levou um fim de semana para superar a raiva de mim, mas acho que foi uma semana inteira até ela me perdoar de verdade. Não a culpo por isso; Brenda tinha um nariz perfeito. Ainda é perfeitamente bonito, mas agora tem um calombinho do qual ela finge gostar com bom humor. Acho que a lição disso é que, se você vai socar a cara de alguém, é melhor socar a melhor amiga. Contraintuitivo, eu sei.

Bruce Weber fez uma crítica muito favorável no *Times* e também escreveu sobre o incidente do nariz. A publicidade aumentou ainda mais a bilheteria. As pessoas ficaram curiosas com aquela peça esquisita de sessenta minutos do East Village estrelada por duas travestis, durante a qual, a qualquer momento, podia explodir uma violência física. A grande imprensa da *Rolling Stone* e da *Time* deram aos produtores a confiança de que o espetáculo poderia seguir para Los Angeles. Então, enquanto uma produção continuava em cartaz no P.S. 122, estreamos outra em L.A.

HEMORRAGIA EMOCIONAL

Matt & Ben foi convidada a participar do U.S. Comedy Arts Festival, em Aspen, o que foi muito importante, porque a HBO patrocinava o festival e o lugar estava cheio de executivos poderosos de Hollywood. Só mais tarde eu perceberia que alguém não era poderoso só porque tinha um título de "executivo" e uma empresa pagava suas viagens. Na verdade, o fato de ele poder ficar afastado de Los Angeles por uma semana significava que ele era *menos* poderoso.

Aspen era como eu sempre tinha imaginado a Suíça, inclusive com as lindas mulheres loiras desfilando em casacos de pele de carneiro com pompons de pele. Aspen é um desses lugares que parecem rústicos, mas onde tudo é tremendamente caro. Era outro nível, bem diferente de Nova York, que era só toscamente cara. Aspen era tão cara que me surpreendi por não ser completamente povoada pelos filhos dos barões do petróleo do Oriente Médio. Fomos instaladas em um hotel do tipo Days Inn nos limites da cidade, mas tomamos a sábia decisão, ao acordarmos de manhã, de passarmos o tempo livre no saguão dos hotéis mais chiques. Um dia, entramos na academia do St. Regis e usamos as máquinas de elípticos por vinte eufóricos e assustadores minutos.

Como posso dizer que as plateias de Aspen odiaram nossa peça sem você achar que estou exagerando? Elas odiaram a peça. Aquele era um festival de *stand-up comedy* e esquetes, e éramos a única peça, o que nos transformou no espetáculo mais longo, com no mínimo trinta minutos a mais que os outros. Pior ainda, ocupamos um auditório tão grande que poderia servir de espaço para o anúncio do *draft* da NFL. O que funcionava tão bem na intimidade de um teatro Off-Broadway perdeu seu charme em um espaço cavernoso. Era como apresentar um circo de pulgas no Rose Bowl. Porém, pensando bem, "circo de pulgas" provavelmente descreve melhor o tempo de atenção das nossas plateias. As pessoas levantavam para sair no meio da peça. Ouvíamos a porta abrir, a luz penetrava no teatro, e depois ouvíamos a conversa dos que tinham saído com as pessoas que estavam na fila para assistir à apresentação depois da nossa. *Quando isso vai acabar? Quanto tempo falta? Vai ter um esquete neste local sobre caras que brincam com os próprios testículos depois disso!*

CAIR PARA CIMA

Vou atribuir ao bom trabalho do nosso agente Marc Provissiero a venda de *Matt & Ben* para um piloto. Marc era passional, jovem e fazia coisas encantadoras, como desaparecer na Costa Rica e nos mandar embalagens de molho picante pelo correio. Também era capaz de passar de uma conversa sobre amenidades para um discurso fervoroso sobre nossas carreiras, mantendo um contato visual enervante com aqueles olhos azuis. É o tipo de cara que você pode ver na vida real fazendo com sucesso um monólogo de Aaron Sorkin. Se algum dia ele desistir do *show business*, pode ser líder de um culto bem-sucedido. Nem preciso dizer que ele era um agente fantástico.

Nosso piloto, baseado na vida que levávamos no Brooklyn, foi feito para uma rede que nem existe mais, que vou chamar de SHT. O nome era *Mindy & Brenda*. Deveria ser *Laverne & Shirley*, mais *sexy*, eu acho. Ou *Mork & Mindy*, substituindo o personagem alienígena por Brenda como uma terráquea sensata.

Tínhamos um grupo de produtores para o projeto, e ainda penso com grande carinho em alguns deles. Um era o lendário Tom Werner, que produziu *The Cosby Show* e *Roseanne*. Tom mencionava casualmente que tinha visto um grande jogo de beisebol na noite anterior, e mais tarde descobríamos que ele estivera em seu camarote no Fenway Park vendo o Boston Red Sox, o time da Major League Baseball de que ele era proprietário. Gostava muito de Tom porque ele nunca ficava agitado ou ansioso, nunca. Podíamos invadir a sala dele com uma fúria no nível Nancy Grace por causa de uma mensagem da emissora, e Tom se recostava na cadeira e nos distraía com uma excelente história sobre Bill Cosby. Ele era nosso tio sábio, bronzeado e distante.

Quando escrevemos o programa, imaginávamos que faríamos os papéis de Mindy e Brenda. Mas estávamos enganadas, porque a SHT não tinha nenhuma intenção de permitir que fosse assim. Fomos informadas de que teríamos que participar da audição para os papéis de Mindy e Brenda. *Mindy* e *Brenda*. Não sei por que ficamos tão surpresas. Naquela época, a SHT era bem conhecida por escalar modelos para atuar em programas de televisão, apostando que os telespectadores gostariam de ver pessoas bonitas recitando falas que haviam decorado foneticamente. Se pareço ressentida, é porque ainda me sinto um pouco ressentida. Quem não ficaria?

Se você já pensou em ficar em uma sala com um bando de atrizes levemente parecidas com você, mas muito, muito mais magras e mais convencionalmente atraentes, não faça isso. Você pode achar que o exercício tem algum valor antropológico, mas não tem. Era ficar em uma sala com um bando de garotas que eram a foto "depois" do meu "antes". Minha audição para *Bombay Dreams* foi uma manhã de Natal, comparado àquilo. Foi assim que descobri que podia ser convincente no papel de Ben Affleck, mas não no de Mindy Kaling.

A rede escolheu duas atrizes lindíssimas e doces. Quando gravamos o piloto, porém, o roteiro fazia pouco sentido. Havia sido prejudicado pelas mudanças diárias impostas pelos executivos da SHT, que apostavam muito no "o que é legal agora?" Ser "atual" era o grande critério para o programa. Ser engraçado estava em quinto lugar, talvez, na lista de coisas importantes, depois da escolha de figurino, cabelo, oportunidades de patrocínio e efeitos sonoros incríveis. Quando filmamos o roteiro, *Mindy & Brenda* não tinha nenhuma semelhança conosco, nem no sentido figurado, nem no literal. Acho que no piloto gravado elas eram blogueiras de moda que trabalhavam em uma confeitaria de *cupcakes* e se referiam constantemente aos seus iPods. (Era 2004, quando iPods eram a referência mais quente.) Não me orgulho daquele roteiro.

O piloto não foi aprovado, meus agentes ficaram desapontados, e eu fiquei muito, muito feliz. Minha experiência em Hollywood era pequena demais para eu saber que aquilo representava um grande obstáculo em minha carreira. Simplesmente fiquei aliviada por saber que aquele programa não seria levado adiante com meu nome nele. A única outra coisa que me mantinha em Los Angeles era ter sido contratada como membro da equipe de roteiristas para seis episódios de um programa da NBC que seria um *remake* de um programa britânico chamado *The Office.**

---

* Notou como me coloquei aqui com toda aquela ironia dramática? Como em *Titanic*, quando o personagem de Kate Winslet adorou as pinturas estranhas de um pintor pouco conhecido chamado Picasso? E na plateia do cinema você riu baixinho, porque sabia que Picasso era um cara famoso? Estou tentando dizer que sou Picasso.

HOLLYWOOD:
minha boa amiga que também é um pouco constrangedora

Tipos de mulheres de comédias românticas que não são reais

Quando eu era pequena, as férias de Natal significavam alugar fitas de vídeo de comédias românticas na Blockbuster e assistir em casa com meus pais. *Sintonia de amor* era um sucesso, e *Harry e Sally – Feitos um para o outro* também. Eu ria com todo mundo na cena em que Meg Ryan finge um orgasmo no restaurante mesmo sem saber o que era um orgasmo. Na minha cabeça ela só estava sendo escandalosa e boba no meio de um jantar, e aquilo era engraçado o suficiente para mim.

Amo comédias românticas. Me dá até um pouco de vergonha escrever isso, porque esse gênero decaiu tanto nos últimos vinte anos que admitir que você gosta desses filmes é basicamente admitir que você é meio estúpida. Mas isso não me impede de assistir.

Gosto tanto de ver as pessoas apaixonadas nos filmes que consigo suspender minha descrença nas situações inventadas que só acontecem no mundo turbinado das comédias românticas. Gosto, por exemplo, daquelas partes em que o protagonista totalmente comum escorrega e cai em cima de um bolo de casamento caríssimo. Na verdade, me sinto até meio traída quando o vestido da protagonista *não* rasga no meio do jogo de beisebol quando a câmera dos telões está apontada para ela. Simplesmente considero comédias românticas um subgênero de ficção científica, no qual o mundo tem regras diferentes do mundo humano real. E aí eu mando ver. Não tem diferença nenhuma entre a Ripley de *Alien* e qualquer personagem de Katherina Heigl. Ambas estão no mesmo nível de maravilha inventada, e eu adoro cada pedacinho.

Então, faz sentido que existam nesse mundo várias espécies de mulheres que eu acho que nem existem na vida real, tipo vulcanas ou gente de OVNIs ou qualquer coisa assim. São elas:

A DESAJEITADA

Quando contratam uma atriz linda para atuar em um filme, a produção executiva torra o cérebro tentando achar algum defeito nela que ainda a mantenha palatável. Ela não pode estar acima do peso nem ter uma aparência que não seja perfeita, por que quem gostaria de assistir a isso? Uma mulher que não tem uma aparência cem por cento perfeita em todos os aspectos? Você poderia muito bem gravar uma lula morta se decompondo em uma praia qualquer por duas horas.

Então, eles a transformam em uma desajeitada.

A mulher de aparência cem por cento perfeita é perfeita em todo o resto também, exceto pelo fato de cair constantemente. Ela bate a cabeça nas coisas. Tropeça, cai e derrama sopa no cara com quem está saindo. (Josh Lucas. É esse o nome? Sei que é um nome composto. Josh George? Brad Mike? Fred Tom? Isso, é Fred Tom.) Nossa desajeitada colide com placas de rua quando anda de bicicleta e dá de cara com enormes prateleiras de caríssima porcelana chinesa. Exceto por ela medir 1,75 metro e pesar 50 quilos, é basicamente um búfalo bêbado que nunca fez parte da sociedade. Mas Fred Tom a ama do mesmo jeito.

A ESQUISITONA VOLÁTIL

O inteligente e engraçado escritor Nathan Rabin criou o termo *Manic Pixie Dream Girl* para descrever uma versão desse arquétipo depois de ver Kirsten Dunst no filme *Tudo acontece em Elizabeth Town*. Essa moça não cria raízes e pode aparecer ou não enquanto você faz planos concretos. Ela usa blusas transparentes e tranças. Decide dançar na chuva e chora incontrolavelmente quando vê cartazes de cachorros ou gatos perdidos. Gira um globo, coloca o dedo em algum ponto aleatório e decide se mudar para lá. Essa esquisitona volátil é abundante em filmes, mas em nenhum outro lugar. Se existisse na vida real, as pessoas achariam que ela é uma sem-teto e atravessariam a rua para evitá-la, mas ela é essencial para as fantasias masculinas de que, mesmo se um cara for chato, ele merece uma mulher que vai achá-lo fascinante e tirá-lo da zona de conforto ao forçá-lo a nadar pelado na piscina de um estranho.

A MULHER OBCECADA PELA CARREIRA E NEM UM POUCO DIVERTIDA

Eu, Mindy Kaling, basicamente tenho dois empregos. Trabalho regularmente dezesseis horas por dia. Mas, como a maior parte das pessoas que conheço e que são igualmente atarefadas, acho que sou uma pessoa normal e agradável. Fico levemente ofendida pela forma como mulheres ocupadas são representadas nos filmes. Tipo, não estou sempre gritando ordens no telefone pelo viva voz e falando para as pessoas constantemente "Não tenho tempo para isso!". Não esqueci por completo como ser legal e feminina porque tenho uma carreira. Além disso, desde quando ter um emprego obriga as mulheres a prenderem o cabelo em um coque severo? Geralmente, essa mulher tensa tem que "reaprender" a seduzir um homem porque seu estrogênio vazou de tanto ela comandar reuniões e precisa fazer todo tipo de idiotice ridícula e desnecessária, tipo comer um cachorro-quente de um jeito libidinoso ou algo assim.

Em filmes, ter um emprego desafiador significa que a parte compassiva, acolhedora ou *sexy* do seu cérebro sumiu.

A MÃE DE 42 ANOS DO PROTAGONISTA DE 30

Se você pensa na história de uma personagem típica de mãe em filmes de comédia romântica, chega à seguinte conclusão: quando a "Mãe" era uma adolescente, no mês de sua primeira menstruação ela engravidou do bebê que viria a ser o adorável protagonista de cabelos castanhos do filme. Eu fico fascinada pela sórdida vida precoce dessa mãe. Preferiria assistir a esse filme do que ao que eu comprei ingresso para ver.

A lavagem cerebral do fenômeno de mães jovens foi tão forte que, quando vi um pôster de *A proposta*, me perguntei se a proposta no filme seria Ryan Reynolds sugerindo à mãe dele, Sandra Bullock, mandá-la para um asilo.

A MELHOR AMIGA SAIDINHA

Sabe aquela melhor amiga fogosa e hilária que fica o tempo todo perguntando sobre seu relacionamento e não tem nada de bom acontecendo na própria vida? A que sempre quer encontrar você em cafeterias ou ir à Bloomingdale's pegar amostras de perfumes? Aquela que é dona de uma loja de produtos eróticos chique no West Village? Não? Ok, é ela.

A MULHER MAGÉRRIMA QUE É LINDA E SARADA, MAS QUE TAMBÉM É GULOSA E NOJENTA

De novo, estou mais do que disposta a suspender minha descrença nas comédias românticas só pela boa decoração do cenário. Uma cozinha impecável de um filme de Nancy Meyers como em *Simplesmente complicado* vale por cinco Diane Keatons sendo pega seminua em um jardim de arbustos esculpidos ou qualquer situação em que o personagem dela se encontre.

Mas tem vezes em que nem a suspensão da minha descrença é suficiente. Estou falando das heroínas maravilhosas e magras que agem como porcos quando o assunto é comida. E todos no filme – seus pais, os amigos, o chefe – são cúmplices nessa mentira enorme. Eles estão sempre dizendo para ela parar de comer tanto e de ser tão gulosa. E essa atriz, essa pobre atriz magrinha que claramente perdeu peso para o papel, tem que responder coisas como "Calem a boca! Eu amo *cheesecake*! Se quiser comer um *cheesecake* inteiro, eu vou comer!". Se você olhar com cuidado, dá para ver as costelas dela por baixo do vestido – ela é magra assim, essa vaca que ama *cheesecake*.

Você se pergunta enquanto assiste ao filme o que esses personagens fariam se fossem confrontados por uma mulher norte-americana comum e real. Provavelmente se matariam, o que na verdade daria um filme muito interessante.

A MULHER QUE TRABALHA EM UMA GALERIA DE ARTE

Quantas galerias de arte existem por aí? As pessoas estão consumindo artes visuais diariamente? Essa profissão elegante, inteligente e refinada é a preferida nesses filmes. Está no mesmo pacote de acessibilidade de professora de pré-escola ou ilustradora de livros infantis: os caras não entendem muito, mas é agradável e nem um pouco ameaçador.

MULHER DA GALERIA DE ARTE: tire o pó daquele Warhol. Você sabe qual, aquele das latas de sopa Campbell em cores malucas! Um comprador importante está vindo para cá e é um momento muito importante para a minha carreira. Não tenho tempo para isso!

A mulher que trabalha na galeria de arte é um raro arquétipo de mulheres de filmes que têm um correspondente masculino. Sempre que alguém conhece um homem lindo, charmoso e bem-sucedido em uma comédia romântica, a amiga da heroína diz a mesma coisa. "Ele é muito bem-sucedido – ele é...

(repita comigo)

...arquiteto!"

Existem, tipo, uns nove arquitetos no mundo inteiro, e um deles é o meu pai. Nenhum deles se parece com Patrick Dempsey.

Tudo sobre *The Office*

The Office é um grande capítulo em minha vida, por isso é um grande capítulo no meu livro. É por ele que sou mais conhecida e é sobre ele que as pessoas mais me perguntam. Queria ser descolada o bastante para dizer que estou cansada de falar disso, como Jennifer Lopez não quer mais falar sobre sua bunda, mas *The Office* ainda é uma parte significativa da minha vida e acho isso incrível. Então, vamos lá.

As pessoas sempre me perguntam como são de verdade meus colegas de elenco em *The Office*: Steve Carell é realmente gentil como parece ser? John Krasinski é legal como Jim na vida real? E Rainn Wilson é tão egocêntrico quanto Dwight? As respostas são: sim, sim e muito, muito pior.

Adoro ver *The Real Housewives* de qualquer cidade porque tenho uma admiração por divas lunáticas. É meio decepcionante que não tenha nenhuma em nosso programa. É claro, há birras e discussões ocasionais e, como eu disse, Rainn é o pior, mas, além disso, não tem muito para contar. Não teremos nenhuma crise sensacional se, sei lá, a cozinheira colocar grão-de-bico acidentalmente na salada de uma estrela. Na verdade, espera, talvez *eu* seja essa pessoa. Vou jogar a salada do outro lado da sala se tiver grão-de-bico, juro por Deus.

Como as pessoas no *set* são tão normais, normalmente não me incomodo de falar sobre elas. Mas me afasto de encontros ligeiramente perturbados porque percebo: ninguém pensa em como eu sou na vida real porque presumem que sou Kelly Kapoor.

É claro, eu não me importaria com essa confusão se fizesse o papel de Lara Croft ou de uma juíza da Suprema Corte, de Serena Williams ou algo assim, mas, quando você representa uma narcisista egoísta e meio maluca por homens, isso preocupa. E, embora eu seja roteirista e produtora (e às vezes diretora, o que tecnicamente faz de mim uma ameaça quádrupla, e aí?) da série, as pessoas costumam esquecer tudo isso diante do fato de a personagem Kelly e eu adorarmos fazer compras. Para esclarecer as coisas, aqui vai uma lista de diferenças entre nós, como eu as vejo.

Coisas que Kelly faria e eu não

- Fingir uma gravidez para chamar atenção
- Fingir um estupro para chamar atenção
- Mandar mensagem de texto enquanto toma banho
- Considerar fugir do local de um assassinato veicular
- Plantar evidências de traição para confrontar um namorado
- Chorar pelo rompimento do romance de uma celebridade
- Escrever uma carta de apoio a Jennifer Aniston
- Escrever uma carta anônima sórdida para Lance Armstrong tendo como remetente Sheryl Crow
- Usar um boneco de vodu
- Criar uma persona *on-line* para praticar *ciberbullying* até deixar uma garota anoréxica
- Chantagear um namorado para levá-la para jantar

Coisas que Kelly e eu faríamos

- Coreografar e estrelar um vídeo de música

- Forjar a própria morte para pegar um *serial killer*
- Chorar no trabalho de vez em quando
- Decorar o número do próprio cartão de crédito para comprar *on-line* com facilidade
- Dirigir com o freio de mão puxado
- Acessar o goop.com todos os dias
- Passar horas seguindo uma receita difícil, odiar o resultado e jogar tudo fora para ir ao McDonald's
- Ficar aborrecida se não for convidada para uma festa
- Fazer dietas da moda ligeiramente perigosas
- Organizar uma festa para assistir a um casamento da realeza

Alguns dos melhores comediantes do mundo encenam com sucesso versões deles mesmos, como Woody Allen, Tina Fey, Ray Romano e Larry David, mas não é o que faço com Kelly. Todos vocês vão me ver representando engenhosamente uma versão de mim quando eu tiver meu próprio programa, *Mindy Kaling: caçadora de criminosos de guerra foragidos*. Viajar à Bolívia para extraditar ou executar nazistas? Minha cara.

Tenho a oportunidade de escrever o roteiro para Kelly, mas não é frequente, realmente não tenho condições. Quando a gente escreve um episódio de *The Office*, tem que ficar no *set* supervisionando a gravação do episódio. Se estou em cena como Kelly, isso significa que não posso supervisionar o *set* como produtora porque estou ocupada demais atuando, e assim tenho menos controle sobre a qualidade do episódio de maneira geral. Acredite, eu adoraria que Kelly aparecesse mais no programa, lentamente roubando o tempo do protagonista no ar até a série mudar de nome e virar *Meu nome é Kelly* ou *A-B-C-D-E-F-G-H-I-J-KELLY!* Mas, considerando quantos personagens temos, os terciários, como Kelly, normalmente têm uma ou duas grandes falas por episódio. Espera, o que vem depois do terciário? Kelly é isso.

LONGAS PAUSAS COM GREG DANIELS, A CONTRATAÇÃO E A PRIMEIRA TEMPORADA

As pessoas me perguntam o tempo todo como fui contratada para trabalhar em *The Office*. Outra pergunta comum é como consigo continuar com os pés no chão diante de um sucesso tão incrível? Isso não sei explicar. Provavelmente tem alguma coisa a ver com bondade inata ou algo assim. Uma terceira pergunta frequente é: "Garota, de onde você é? Trinidad? Guiana? República Dominicana? Você é casada? Tem filhos?". Essas são feitas mais frequentemente por homens na calçada vendendo bugigangas com I LOVE NEW YORK na cidade de Nova York.

John Krasinski e eu, atores profissionais,
incapazes de concluir uma cena sem rir.

Minha carreira em Hollywood está relacionada a um homem chamado Greg Daniels. Ele e a esposa, Susanne, viram *Matt & Ben*, e pouco depois recebi um telefonema do meu agente, Marc. Ele disse que Greg queria me encontrar para uma geral.

Geral é uma abreviação de "reunião geral", uma das mais vagas e temidas invenções de Hollywood. Significa essencialmente "estou curioso sobre você, mas não quero fazer uma refeição com você e quero criar pouca expectativa sobre qualquer desfecho tangível de nossa reunião". Na maior parte do tempo, nenhuma das pessoas que participa de uma geral sabe exatamente por que está encontrando a outra, e aí você fala sobre padrões de trânsito em L.A. e que celebridades estão magras demais. As reuniões são divertidas se você gosta de conversar, e eu gosto, mas frustrantes se você prefere cuidar da sua vida, o que também é o meu caso. Mas normalmente você ganha uma garrafa de água gratuita.

Fiquei muito nervosa quando me reuni com Greg porque a reputação dele o precede. Até meu pai sabia quem ele era por causa dos créditos na abertura de *O rei do pedaço*, um dos únicos programas de animação que ele não acusava de destruir a mente da juventude norte-americana. Greg havia sido da equipe de *The Harvard Lampoon*, roteirista de *Saturday Night Live* (escrevendo em parceria com Conan O'Brien), *Os Simpsons* e *Seinfield*, e criou *O rei do pedaço*. Se ele morresse depois de ter feito só isso, as pessoas ainda ficariam tristes ao ler seu obituário. Quando o conheci, ele tinha acabado de fazer quarenta anos.

Cheguei cedo à reunião. Ela aconteceu no escritório de *O rei do pedaço* em Century City – uma área comercial com muitos arranha-céus cintilantes. Para ajudar na visualização, é a área onde Alan Rickman manteve todos aqueles reféns em *Duro de matar*. Um homem entediado de vinte e poucos anos me recebeu na recepção. Na verdade, não me recebeu. Demorou um minuto inteiro para desviar os olhos do computador e me ver ali nervosa na frente de sua mesa. Quando as pessoas demonstram falta de entusiasmo ao me ver, eu compenso com elogios exagerados. Isso sempre exacerba o problema, mas não consigo me controlar. Olhei a organizada área de trabalho dele.

EU: Que mesa limpa. Se fosse a minha, seria um desastre, haha.

RECEPCIONISTA: A mesa não é minha. Me transferiram para cá quando a temporada acabou. Não tenho literalmente nada a ver com essa mesa.

Nos encaramos por alguns momentos, até ele me pedir para sentar ao lado de um cartaz de Peggy Hill em tamanho natural.

Marc havia me alertado sobre Greg ser "um pouco quieto e pensativo", mas ninguém poderia ter me prevenido sobre o quanto ele era quieto e pensativo. Greg faz muitas pausas estranhamente longas na conversa. Tipo, minutos de duração. Minha reunião com ele durou duas horas e meia, mas, se fosse transcrita, teria o conteúdo de uma conversa de quinze minutos. Greg fez referências a todo tipo de livros e artigos, mas, em vez de citar trechos deles, como qualquer pessoa normal e preguiçosa, ele insistia em acessar a internet e encontrar a frase exata ou citar de fonte secundária, acrescentando mais uma seção de cinco minutos de silêncio à reunião, durante a qual surfava na rede sem dizer nada. Mais tarde eu perceberia que esse era o estilo de Greg, sua marca registrada. Ele gosta de levar as pessoas além do ponto em que elas conseguem encenar para impressioná-lo. Bom, essa é minha interpretação. Ele podia estar só distraído, esquecido da minha presença.

Greg é um homem muito discreto, com o ar de um cientista atlético e gentil. Falamos sobre New Hampshire, nossos pais, livros e sobre os elaborados casamentos indianos. Foi divertido, e aprendi muito, o que foi inesperado. Lembro de ter saído da reunião com algum material impresso; um panfleto do MapQuest com a rota para um restaurante onde Greg adorava comer, chamado John O'Groats, e um artigo sobre a história da biblioteca arquitetonicamente interessante no colégio onde Greg fez o ensino médio.

Agora preciso dar algum contexto sobre aquele ano na televisão. A NBC tinha muita esperança em três comédias naquele ano: *Commited*, uma série sobre amigos excêntricos que moravam juntos na cidade de Nova York; um programa animado, *Father of the Pride*; e *Joey*, o *spin-off* de *Friends*. Não consegui marcar reuniões com ninguém desses programas. Nem perto disso. Marc se esforçou e conseguiu uma reunião com apenas um outro programa, *Nevermind Nirvana*, um piloto sobre um casal inter-racial. Fui de carro até Burbank para encontrar os executivos.

Enquanto estava sentada na sala de espera, o produtor recebeu um telefonema: o programa não tinha sido escolhido. A recepcionista me deu a notícia e imediatamente começou a guardar as coisas dela em uma caixa. Validei o *ticket* de estacionamento e fui embora. Literalmente, nem cheguei à sala. Então, tecnicamente a reunião com Greg foi a primeira e única da minha carreira.

Mais ou menos uma semana depois, Marc ligou e disse que Greg queria me contratar como roteirista da equipe para a primeira temporada de *The Office*. Antes de eu me animar muito, ele explicou que o contrato seria por seis episódios de uma série que estrearia no meio da temporada. Era o menor período possível de contrato que alguém podia ter e ainda se qualificar para ser membro do Sindicato dos Roteiristas. Não liguei. Eu era uma roteirista de televisão! Com convênio médico!

Sem amigos, comemorei da melhor maneira possível. Fui direto para o Canter's Deli, sentei numa cabine, pedi uma Coca enorme e gelada e um sanduíche chamado Brooklyn Ave (uma versão menos saudável de um Reuben, se é que isso é possível) e passei duas horas no telefone com minha mãe e minhas melhores amigas. Um homem idoso que comia com a esposa em uma mesa próxima se aproximou da minha mesa. "Você é barulhenta e rude", ele disse. "Sua voz é estridente e irritante."

Comecei a trabalhar em julho. Na época, morava sozinha em um apartamento pequeno e úmido que tinha encontrado na Fairfax Avenue com Fountain Boulevard, que eu não sabia que era o centro de toda vida social de travestis em West Hollywood. Eu não tinha nem o conhecimento básico de L.A. para pedir ao síndico uma vaga na garagem, então estacionava a quarteirões de casa e curtia as interações noturnas com mulheres estranhamente altas e sem seios chamadas Felice ou Vivica, que sempre queriam caronas para o Vale. Se minha vida na época fosse uma *sitcom*, uma exclamação inebriada com um gorgolejo trans "Oiiiiii, garooootaaaa!" teria sido meu "normal"!

Tinha um luminoso gigante de um *chat* de sexo gay a seis metros da minha porta. Você precisa entender, isso foi antes de eu me tornar o internacional e fabuloso ícone gay que sou hoje, por isso aquilo me deixava desconfortável. (Agora sou basicamente Lady Gaga e Gavin Newsom vezes um milhão.) Quando meus pais iam me visitar, tentava distraí-los apontando para o outro lado da rua, onde havia um mercado de produtos russos, que eu tinha 70% de certeza de que era a fachada de uma associação criminosa. "Aquilo não é legal, mãe e pai? Posso comprar meus produtos perto de casa."

Meus pais me visitavam muito. Foi uma época solitária. Comecei a esperar ansiosa pelos encontros com Felice e Vivica. "Oiiiiii, Tempero Curry! Oiiiiii, Garoootaaa!"

Mas, mais importante, eu só queria começar a trabalhar.

Ser roteirista de equipe era muito estressante. Eu sabia que era uma pessoa engraçada, mas era muito inexperiente naquele ambiente. Fazer palhaçada com Brenda e escrever peças no chão da nossa sala de estar no Brooklyn era algo íntimo e seguro, entremeado em nossa amizade. Mas eu não era amiga daquelas pessoas. Eu era a única roteirista júnior contratada (os outros estavam num patamar acima) que nunca tinha estado em uma sala de roteiristas. A maior parte do estresse se originava honestamente de os outros roteiristas serem tão experientes e engraçados que eu temia não conseguir acompanhá-los. Temia que Greg notasse essa desigualdade de talento e me demitisse em uma reunião de duas horas cheia de pausas. Temia mais as pausas do que a demissão.

Os roteiristas em tempo integral para a primeira temporada eram Greg, Paul Lieberstein, Mike Schur, B. J. Novak e eu. Larry Wilmore e Lester Lewis eram consultores, o que significava que escreviam em três dos cinco dias da semana. Por algum motivo, pensei que Greg, B.J. e Mike fossem os melhores amigos, pois haviam estudado em Harvard e participado de *The Harvard Lampoon* (embora não fossem contemporâneos em Harvard). Nunca vou esquecer um dia no almoço, quando Mike convidou B.J. para ir a um jogo dos Red Sox contra os Dodgers, enquanto eu fumegava de raiva do outro lado da sala, me sentindo excluída.

"Pego vocês, seus filhos da puta da panelinha", pensei.

Sabe de uma coisa? Nunca os peguei. Só estou percebendo isso agora. Ainda deveria tentar.

Mas, como acontece com a maioria das pessoas com quem você tem que passar muitas horas, aos poucos eles se tornaram meus bons amigos. O trabalho de roteirista de comédia é basicamente sentar e ter conversas engraçadas sobre situações hipotéticas, e você é recompensado pela originalidade de detalhes. É entusiasmante, e eu não queria parar. Logo comecei a ter medo dos fins de semana, porque os fins de semana significavam dar tchau para aquela atmosfera criativa, alegre.

Sempre vou me lembrar com muito carinho do *Chappelle's Show*, porque, além de ser um dos shows mais engraçados que já vi, serviu como meu bom amigo na época. Assistia a todos os episódios e depois revia mais tarde naquele dia para ouvir as piadas novamente. Às vezes, em uma noite de sábado, dormia no sofá vendo a série, como se Dave Chappelle e eu fôssemos os melhores amigos conversando até adormecermos. Eu tinha 24 anos.

Na época, não sabia que esse ano com Greg, Paul, B.J. e Mike seria aquele em que eu essencialmente aprenderia como escrever comédia. Esse pequeno grupo escreveu os seis primeiros episódios daquela primeira temporada de *The Office*. Eles foram, e são, quatro das minhas pessoas favoritas no mundo. Também são as quatro pessoas mais divertidas que conheço. Briguei muito com eles – estou falando de brigas de verdade, violentas –, que racionalizo como uma prova de que eles são meus amigos de verdade. Não vou dizer mais nada sobre eles porque nenhum deles tem problemas de confiança e, francamente, estão a três elogios de se tornarem monstros.

ROTEIRISTA BRIGA OU NÃO BRIGA COM GREG DANIELS!

Brigas entre roteiristas são sempre excitantes e traumáticas, e me envolvo nelas o tempo todo. Sou uma roteirista confiante, cabeça-quente e não tenho muita tolerância com críticas. Essa combinação encantadora de características de personalidade faz de mim uma máquina de discussão em nossa equipe. Um meio elogio que meu amigo e diretor criativo de *The Office* Paul Lieberstein me fez uma vez foi que "é bom que você entregue bons esquetes, porque é impossível reescrever seu texto". Obrigada, Paul! Tudo que ouvi foi: "Mindy, você é a melhor roteirista que já tivemos. Valorizo muito seu trabalho. Todos nós valorizamos".

Costumo brigar mais com Greg. Steve Hely, meu amigo e parceiro de roteiro em *The Office*, acredita que é porque sou emocional e intuitiva, e Greg é mais cerebral e lógico. Ou, como eu penso, sou uma poetisa sensível, e Greg é um robô duro. Nossas brigas são lendárias. Certa vez, tarde da noite, nosso coordenador de roteiro, Sean, e nosso roteirista-chefe, Danny, levaram seus cachorros, que ao se encontrarem travaram um conflito violento e ruidoso. Paul Lieberstein olhou para eles e brincou: "Ah, pensei que fossem Greg e Mindy".

Por que brigamos? Queria poder dizer que é por questões grandes, inteligentes e filosóficas relacionadas a escrever nossa comédia, mas às vezes são coisas pequenas como "se a gente fizer aquele *teaser* em que Kevin derruba uma terrina de chili nele mesmo, eu saio do programa". Fizemos o *teaser*, aliás, e foi um sucesso, e eu continuo trabalhando no programa. Às vezes sou um pouco teatral. O que faz sentido, porque, afinal, vim do *teatro* (dito com minha voz nasalada de *Masterpiece Theatre*).

Vou contar a pior briga que tivemos. Em uma sessão particularmente esquentada de reformulação de roteiro para o episódio "Grief

Counseling", da terceira temporada, eu estava discutindo tanto com Greg que ele finalmente disse na frente dos doze roteiristas: "Se vai resistir ao que estou fazendo aqui, pode ir para casa, Mindy".

Greg nunca manda ninguém para casa, nem mesmo insinua. Greg é o tipo de cara tão cordato que frequentemente o encontro em nosso estúdio envolvido numa longa conversa com uma pessoa aleatória, enquanto seu almoço esfria na embalagem para viagem. E ele é o chefe. Eu nunca falaria com ninguém se fosse a chefe. Só falaria com meu advogado e orientador espiritual. Então, meu chefe gentil tinha acabado de me advertir de um jeito bem duro. A sugestão de que eu fosse para casa a menos que adaptasse minha atitude foi a reação mais ríspida que ele já havia tido com alguém nos três anos desde que fui trabalhar no programa. Todo mundo ficou em silêncio. Ninguém olhou para mim. As pessoas fingiram estar prestando atenção aos celulares. Um roteirista nem tinha um telefone, então fingiu estar prestando atenção na própria mão.

Fiquei tão constrangida e furiosa que levantei, marchei para fora da sala, roubei uma embalagem de 24 garrafas de água do escritório da produção, chutei o para-choque do carro de Greg e deixei o estúdio.

Isso é o que eu recebo por tentar melhorar o programa? Sou mais engraçada e melhor roteirista que cada um desses babacas, pensava, ressentida. Me imaginei recebendo o Prêmio Mark Twain de Humor Norte-Americano no Kennedy Center, e todos aqueles outros roteiristas assistindo à entrega de suas casas, com a esperança de eu mencioná-los, o que eu não faria. Em vez disso, agradeceria a Tália, a musa grega da comédia. Nossa, agradeceria a *Tália* em vez de falar daquelas pessoas. Entrei em um salão em um *minishopping* a dois quilômetros dali e sentei furiosa para fazer as unhas.

"*Señora*, tirou o dia de folga?", perguntou com simpatia a mulher que pôs meus dedos de molho.

"Não! Fui chutada do trabalho!", respondi. Ela parou o que estava fazendo.

"Ah, foi demitida?", ela perguntou preocupada.

Ouvi-la falar "demitida" provocou um arrepio que percorreu minhas costas. Olhei para minhas cutículas de molho. Vi as mãos suaves de uma roteirista de comédia mimada que nunca tinha tido um dia difícil no trabalho. Eu queria mesmo ficar desempregada? Queria pôr em risco todo aquele trabalho incrível com que eu tinha sonhado desde os 13 anos? Queria mesmo ser recepcionista no consultório de obstetrícia e ginecologia da minha mãe, onde eu teria que aprender espanhol?

Levantei imediatamente, enxuguei as mãos, dei algum dinheiro à mulher confusa e voltei correndo para o estúdio. Entrei na sala dos roteiristas e sentei em silêncio.

Meu amigo e colega roteirista Lee Eisenberg me olhou intrigado e mandou uma mensagem: ONDE ESTAVA?

Respondi: NO BANHEIRO.

Greg não comentou minha ausência, nem descobriu que eu tinha chutado seu carro, e a história morreu ali. As garrafas de água continuaram comigo, rá, rá, rá! Naquela noite, na conversa com minha mãe a caminho de casa, depois do trabalho, cometi o erro de contar o que havia acontecido. Esperava ser consolada depois de um dia ruim no trabalho. Em vez disso, ela gritou comigo. "Você é doida? Deve tudo a Greg Daniels!" Minha mãe sempre fala "Greg Daniels", como se houvesse algumas pessoas no mundo chamadas Greg e eu pudesse não saber de quem ela estava falando. (Não há.) "Greg Daniels lhe deu uma oportunidade e mudou sua vida! Não brigue com Greg Daniels!" Meu pai entrou na conversa pela extensão no segundo andar da casa, como sempre faz. Ele concordou com minha mãe. "Sei que ficou aborrecida, Min. Mas precisa ser profissional." Ainda estou tentando seguir esse excelente conselho, com sucesso eventual, cinco anos depois.

Os seis roteiristas e editores da temporada.

STEVE CARELL É LEGAL, MAS ISSO É ASSUSTADOR

Isso já foi dito muitas vezes, mas é verdade: Steve Carell é um cara muito legal. Isso se manifesta em boa parte no fato de ele nunca reclamar. Você pode arruinar um punhado de *takes* de externa em um calor de 40 graus na enfumaçada Panorama City, e as palavras finais de Steve Carell antes de cair vítima de insolação serão simpáticas e esperançosas: "Ei, acha que já tem a cena?".

Sempre achei que Steve era um cavalheiro muito discreto, como um personagem de Jane Austen. Uma coisa notável na gentileza de Steve é que ele também é muito inteligente, e esse tipo de gentileza sempre me deixou nervosa. Quando pessoas inteligentes são bacanas, é sempre aterrorizante, porque sei que elas estão prestando atenção em tudo e pensando em coisas inteligentes e potencialmente críticas. Steve jamais poderia ser engraçado como é, ou um ator tão sombriamente observador, se não tivesse uma noção precisa das falhas humanas. O resultado é que estou sempre tentando impressioná-lo na esperança de que ele vá para casa e diga à esposa, Nancy: "Mindy foi muito engraçada e legal hoje no *set*. Ela é demais".

Fazer Steve falar merda foi um dos desafios mais difíceis desses sete anos, mas eu estava decidida. Um grupo de atores podia estar em uma conversa engraçada e ácida sobre, sei lá, Dominique Strauss-Kahn, e alguém olhava para Steve com ar encorajador e dizia: "Ei, vem cá, guardamos um lugar para você! Estamos falando mal de Dominique Strauss-Kahn para criar uma ligação no elenco!", e a melhor resposta que ele poderia dar era: "Uau. Se tudo que dizem sobre ele é verdade, isso é uma loucura", e depois pediria licença para ir para seu *trailer*. Era isso. Isso era tudo que se poderia tirar dele. Dá para acreditar? Ele simplesmente não se envolvia. Era muita força de vontade. Eu, por outro lado, ouço alguém mencionar rapidamente Rainn e imediatamente respondo: "Ah, meu Deus, Rainn é horrível". Mas Carell é só um daqueles caras irritantes e elegantes de Jane Austen.

Mais tarde eu teria a teoria particular de que ele nunca se envolveu em fofoca porque – e tenho 99% de certeza disso – secretamente é Perez Hilton.

ONDE EU TRABALHO

Muitas pessoas presumem que *The Office* é filmado em Scranton, Pennsylvania, porque nos esforçamos para filmar em locações verdes e com a cara da Costa Leste. Outras pessoas pensam que filmamos em um estúdio pitoresco como os que se vê em uma visita aos Universal Studios, onde *Tubarão* nada alegremente ao lado da rua sem saída de *Desperate Housewives*, um pouco adiante de um carro em chamas no cenário de *Cortina de fogo*. Só que não.

Rainn Wilson, ogro violento.

Qualquer um que visite o cenário de *The Office* sempre diz a mesma coisa quando vai embora: "Puta merda, foi assustador!". Isso porque filmamos no fim de uma rua sem saída em um quarteirão industrial de Panorama City, no vale de Fernando Valley, o que parece ótimo – quem não ama panoramas? Mas não se engane! O nome é um truque. Houve um tempo em que Panorama City era parte de Van Nuys, mas Van Nuys fez de tudo para se livrar. Expulsou? Vou colocar desse jeito. Van Nuys deu uma olhada para Panorama City e disse: "Uh, arrume um nome para você. Não queremos ter nada a ver com você".

Estamos no fim de um quarteirão com um galpão de peças de armas, um luminoso de loja e um depósito de lixo. Nossa rua também é a preferida para corridas de arrancada de adolescentes mexicanos entediados e muito competitivos. Temos que parar de filmar frequentemente e esperar o barulho diminuir, os cachorros do depósito de lixo pararem de latir e as peças de armas serem lixadas. Pensando bem, poderia até ter um carro em chamas por aqui de vez em quando. Toma essa, Universal Studios!

Adoro nosso *set* porque estamos isolados de outros programas. Isolamento é bom porque não tem distrações do trabalho e, acredite em mim, eu me distraio com facilidade. Não tem *shopping*, restaurante ou qualquer coisa legal por perto, e a gente pode se concentrar em trabalhar no programa. Isso nos faz sentir sequestrados e isolados, o que acho que é bom para a criatividade. Além disso, posso dar uma saída a qualquer momento para comprar minhas peças de armas.

KELLY KAPOOR GANHA SACOLAS DE PRESENTE

Quando comecei a frequentar eventos associados a *The Office*, passei a receber sacolas de presentes. Lembro de artigos de revista de tirar o fôlego sobre presentes como brincos de safira, associações vitalícias a academias chiques, certificados de cirurgia de reconstrução facial totalmente gratuitas, estadias de uma semana em reservas de vida selvagem onde você pode tocar nos leões e potes de 500 dólares de creme facial milagroso feito com placenta humana. Parecia a maior festa, e em 2006 comecei a participar dela.

O negócio é você ir a uma premiação para a qual gastou uma fortuna maluca se arrumando. Depois de ganhar ou perder nas suas categorias, tem uma parte da noite que não é transmitida pela televisão em que você e todas as outras pessoas no evento são levadas para uma enorme sala sem janelas onde é servido um bufê de pratos quentes equivalente a um *bar mitzvah* meio chique. O negócio é que a comida é uma delícia porque você não comeu nada o dia inteiro. Depois de circular um pouco e classificar mentalmente os vestidos das outras atrizes para poder ligar para sua mãe e contar tudo, você entrega um canhoto para uma mulher de aparência estressada na saída, e ela lhe dá uma sacola de lona preta cheia de produtos. Você fica muito animada. E abre a sacola.

O que havia nas minhas sacolas de presentes
ao longo dos anos
- barras de proteína
- um *spray* de higiene pessoal que só posso descrever como refrescante de bunda

- meias com dedos separados
- um tubo de creme dental para "dentes femininos" em tamanho para viagem
- um chaveiro do *Bob Esponja Calça Quadrada*
- uma lapiseira mecânica (bem legal, mas foi roubada assim que a levei para o trabalho)
- estranhas cápsulas de café que só funcionam se você comprar a cafeteira para a qual as cápsulas são feitas
- faixas de silicone bronzeadas que você cola nos seios
- uma cinta sem pernas que serve para você esconder sua gordura
- um livro infantil escrito por um protagonista de *Barrados no baile* original;
- um livro de culinária para diabéticos (de fato adoro esse)

As sacolas de presente são bolsas de tranqueiras. Não estou reclamando, mas deixando claro que você não deve ter nenhuma ideia romântica sobre elas. Use essas ideias românticas para outra coisa, como pensar na importância e grandeza da nossa Menta Nacional. Você não só não compraria as coisas dessas sacolas de presentes, como nunca daria essas coisas para um parente com o qual tenha um relacionamento frio. Há, porém, uma excelente vantagem no nosso programa: tenho um suprimento interminável e gratuito de papel, clipes para papel, envelopes e material de escritório desde que entrei para de *The Office* porque roubo objetos do cenário regularmente.

FICANDO UM POUCO FAMOSA

Quando você se dá tão bem no trabalho quanto eu sei que me dei, raramente tem tempo de desfrutar de sua fabulosa boa sorte porque está ocupada demais se preocupando com quando ela vai acabar. Depois da primeira temporada de *The Office*, lembro que Jenna Fischer, Angela Kinsey e eu fomos barradas em uma festa organizada por uma revista famosa em um hotel chique em Sunset Boulevard. Os coordenadores da festa não acharam que *The Office* fosse digno de participar. Vimos o elenco de *Lances da vida* entrar sem problema nenhum. O pessoal de RP da festa nos tratou com o desdém normalmente reservado para os tutores que acompanham as crianças artistas no *set*. (Para constar, normalmente não tem ninguém mais estranho no *set* que as tutoras das crianças artistas. Costumam ser *hippies* envelhecidas com cabelo comprido e preso em uma bagunçada trança grisalha, vestidas com roupas de brim que causariam vergonha a Jay Leno.)

Felizmente eu ainda demoraria muito para chegar à faixa etária de tutora. Na metade da segunda temporada, finalmente recebemos o reconhecimento justo por nosso histórico de uma dúzia de ótimos episódios, e as pessoas gostavam de nós. Era glorioso. O ponto alto foi em um sábado, quando eu passava aspirador de pó no carro em um posto de gasolina em Santa Monica Boulevard, durante a parada do Orgulho Gay, e um grupo de veteranos gays uniformizados gritou: "Ai, meu Deus, é Kelly Kapoor!". Os gays no posto de gasolina acharam que eu era importante.

Porém, fazer parte do programa "It" na segunda temporada trouxe alguns desafios. Um refrão comum que ouvíamos era "Não gostei da primeira temporada, mas na segunda vocês amadureceram". Acho que as pessoas pensavam que o elogio significava mais se elas o temperassem com algum insulto antes. Como se eu dissesse: "No começo achei você feia, mas depois que chegou mais perto de mim percebi que era bonita". Adoro nossa primeira temporada. Acho que é um pouco sombria e realmente engraçada. Considero a frase "vocês amadureceram" especialmente esquisita, como se *The Office* finalmente tivesse desenvolvido seios ou coisa assim.

DO QUE TEMOS QUE TER MEDO

O que vem a seguir é um medo perene no mundo da televisão. Algumas pessoas que trabalham no ramo ignoram confiantes todos os bons programas novos, dizendo: "Tem espaço para muita coisa boa na televisão. Isso não vai nos afetar", mas simplesmente não é verdade. Tem espaço para um pouco de televisão roteirizada boa e muitos, muitos *reality shows* sobre perda de peso monitorada. Se a ciência clonasse Jillian Michaels geneticamente, nossa rede seria só de diferentes interações filmadas de pessoas obesas perdendo peso, o dia todo. Meu amigo Charlie Grandy uma vez brincou sobre ser só uma questão de tempo antes de haver uma categoria no Emmy para "melhor programa de perda de peso extrema".

Na primavera, quando as emissoras lançam sua linha de novos programas, você pode pensar, ah, talvez eu tente ver esse ou gravar aquele, mas fico um pouco paranoica tentando deduzir qual recém-chegado vai nos superar e nos levar a uma morte dolorosa no horário nobre. Fiz uma lista de possíveis programas que acredito que superariam a audiência de *The Office*.

- *Quero poder andar para o meu casamento!*: Jillian Michaels ajuda um casal com obesidade mórbida confinado ao sofá a perder peso para seu casamento.
- *Quero poder andar quando celebrar um casamento!*: Jillian Michaels ajuda um padre obeso, confinado à sua paróquia, a realizar um casamento.
- *Sacerdote obeso*: um sacerdote obeso que come sobremesa em excesso ajuda um grupo de adolescentes de alto risco, mas hilários.
- *Canta, Sing Sing!*: uma competição de cantores na prisão de Sing Sing.
- *A ressaca semanal*: um *reality show* no qual três amigos são dopados e colocados em uma situação perigosa aleatória, como no filme *Se*

beber não case e têm que montar o quebra-cabeça do que aconteceu na vida deles.

• *Amizades interespecíficas*: você já viu um vídeo no YouTube em que um elefante é amigo de um collie? Ou aquele em que uma tartaruga e um hipopótamo são melhores amigos? Eu poderia assistir por horas. São essas comédias de camaradagem que as pessoas querem ver.

Eu realmente acho que poderia criar *Amizades interespecíficas*. Um pequeno programa inteligente sobre a observação de dois animais que são amigos, contrariando todas as chances. No começo vai ser difícil de vender, mas na segunda temporada o programa vai amadurecer. Mas nunca será tão bom quanto a versão britânica original, *Companheiros interespecíficos*.

Franquias que eu
gostaria de relançar

A essa altura você já deve ter visto que sou uma pessoa experiente de Hollywood e está se perguntando quando vou dar meu grande salto da televisão para o cinema. É aqui que explico tudo e conto sobre alguns dos meus projetos cinematográficos mais excitantes no forno.

Ninguém gosta quando Hollywood relança franquias amadas. Quando fui contratada para escrever o *remake* da NBC do clássico *The Office* da BBC, todo mundo teve a imediata reação física de estar perto de alguém que tinha acabado de peidar.

Acontece que pelo menos estávamos tentando refazer uma coisa excelente. O que nunca entendi é o *remake* de coisas que já eram horríveis. Por exemplo, *Os gatões*. Era um programa cujos dois pontos supostamente fortes eram (a) um carro que pulava constantemente sobre grandes objetos em momentos críticos e (b) apresentar os norte-americanos aos *shorts* curtos de Daisy Duke, o que por si só baixou a idade média do intercurso sexual no país em sete anos. Eu adorava o programa quando tinha quatro anos, mas mesmo então sabia que *Os gatões* era para crianças. Eu pensava: *Isso é bom para mim ou para uma criança de cinco anos no máximo*. Por isso não entendi quando foi refeito e virou filme.

Depois fiquei sabendo quanto dinheiro rendeu e pensei: "Preciso entrar nesse negócio logo". A seguir relaciono algumas franquias que gostaria de refazer, pelo amor à franquia e um pouco pelo amor ao dinheiro que acho que elas renderiam.

UMA EQUIPE MUITO ESPECIAL

Infelizmente, aqui a coisa é meio complicada. Por mais divertido e fútil que esse filme tenha sido, era baseado em um evento histórico real. A Liga Americana de Beisebol Profissional Totalmente Feminino era uma coisa real. Além disso, eu só refaria esse filme se pudesse ficar com o papel de Rosie O'Donnell, e tenho certeza de que não havia muitas mulheres indianas nos Estados Unidos na década de 1940.

HULK

Tenho a impressão de que vai ter um *remake* a cada dois ou três anos de qualquer maneira; quero tentar um deles.

CINCO HOMENS E UM SEGREDO

Vamos ser francos. O primeiro filme – não o *Onze homens e um segredo* da década de 1960; quantos anos você acha que eu tenho? – foi ótimo, mas já havia quatro caras a mais nele. Don Cheadle tem umas três falas no filme todo. Os filmes que vieram depois de *Onze homens e um segredo*, nos quais sempre acrescentavam mais gente, foram difíceis de acompanhar. Eram muitos personagens cumprindo diferentes missões relacionadas a Vegas. Dava a impressão de que alguém nos bastidores tinha perdido o controle, tipo, ai, meu Deus, se a gente não brecar essa pessoa, todo o Sindicato dos Atores vai entrar na gangue de Danny Ocean. Por isso precisamos fazer uma prévia e cortar os mais desorganizados da gangue dos desorganizados. Fazemos aquela mágica do efeito especial da reversão de idade de Benjamin Button em Clooney e pá! Temos um sucesso de bilheteria para o verão.

VAN HELSING: O CAÇADOR DE MONSTROS

Por que esse filme foi tão ruim? Tinha todos os ingredientes de um ótimo filme. O assunto (belo professor europeu aniquila vampiros) é um sonho. Hugh Jackman no auge quando representou o quentíssimo Van Helsing. A adorável Kate Beckinsale também estava lá, como a bela e pálida amiga ou sei lá o quê. Por que o filme não foi um sucesso e um clássico? Eu poderia refazê-lo, com o mesmo elenco, e fazer um filme melhor. Estou jogando a luva, Van Helsing.

E, falando em filmes com pessoas normais destruindo criaturas mágicas:

OS CAÇA-FANTASMAS

Sempre quis que o *remake* de *Os caça-fantasmas* trouxesse quatro garotas caça-fantasmas. Quatro mulheres normais e corajosas morando na cidade de Nova York, procurando o Sr. Perfeito e tentando arrumar empregos, mas que também caçam fantasmas. Não sou idiota, porém. Sei que o público-alvo desse filme é formado por meninos adolescentes e sei que eles se matariam se duas caça-fantasmas fossem se maquiar na Sephora. Mas sempre quis ver uma garota descolada trocando o primeiro beijo com um cara por quem ela é apaixonada e depois tendo que pedir licença para ir pegar os fantasmas irritados no incêndio da fábrica Triangle Shortwaist ou algo assim. Na minha imaginação, é claro que sou uma das caça-fantasmas, junto com, digamos, Emily Blunt, Taraki Henson e Natalie Portman. Mesmo que eu não seja a líder do grupo, definitivamente sou a que vai dizer "não tenho medo de fantasma nenhum". Pelo menos na primeira vez.

Nenhuma contribuição
em *Saturday Night Live*

Fui uma péssima roteirista convidada em *Saturday Night Live*. Não fui destrutivamente ruim, nada disso, só uma extra inútil e simpática nos escritórios da *SNL* comendo hambúrgueres de graça, como o Dudu de *Popeye*.

Entrei no programa durante o hiato entre as temporadas dois e três de *The Office*. Meu amigo Mike Schur, que havia trabalhado em *SNL* antes de *The Office*, me indicou para Mike Shoemaker, um produtor de lá. Mike Shoemaker e alguns outros tinham gostado de um episódio de *The Office* que eu havia escrito, chamado "The Injury", no qual Michael grelha o pé acidentalmente em um grill George Foreman. Mike Shoemaker gentilmente me convidou para escrever por algumas semanas. Mais tarde descobri que muitos roteiristas convidados estavam lá em uma espécie de "audição" para um emprego fixo e chegavam preparados com muitas ideias de esquetes hilários, alguns até parcialmente escritos. Mas, como eu chegava diretamente do meu emprego em *The Office*, não tive tempo para me preparar, mesmo sabendo que deveria.

Acho que isso não é inteiramente verdade. Estava preparada do meu jeito, o que significa dizer que havia levado várias roupas que tinha comprado na Nordstrom Rack com minha mãe, todas consideradas inúteis imediatamente. Roteiristas e atores no *SNL* pareciam descolados, mas casuais. Quando ouvi falar em "emprego de roteirista de televisão na cidade de Nova York", imaginei um tipo de estética *Gossip Girl*. Meus trajes de camisas sociais, um broche irônico, gravatas masculinas, *kilts* e tênis de cano alto dourados eram completamente estúpidos diante das camisetas cinzas e das Levi's sutilmente fantásticas de Set Meyers.

Então, lição número um: a moda tem um papel relativamente sem importância na vida do trabalho diário de *Saturday Night Live*. Tudo bem, aprendi.

O trabalho de roteirista funcionava assim. Os roteiristas escreviam esquetes sozinhos ou em duplas com pessoas com quem colaboravam regularmente. O problema era que eu não conhecia ninguém, por isso ficava acanhada de abordar alguém com minhas ideias.

Dividia uma pequena sala sem janelas com Kristen Wiig. Isso, como você pode imaginar, era incrivelmente excitante. Não tínhamos privacidade, o que não me incomodava, porque eu esperava que a atmosfera claustrofóbica do nosso escritório compartilhado fosse parecida com um dormitório universitário e que nos tornássemos confidentes só por causa da proximidade física. Seria mais ou menos assim:

(*Blue* de Joni Mitchell está tocando no meu computador.)

KRISTEN: Meu Deus, adoro esse álbum.

EU: Eu também. Isso não faz você querer que estivéssemos vivas no tempo de Woodstock?

KRISTEN: Sim! É o que sempre penso quando escuto isso!

EU: Hilário. Ei, quer almoçar e depois passar no Crabtree & Evelyn?

KRISTEN (como se eu fosse uma idiota): Ah, quero. Bom, se a gente passar na porta desse escritório minúsculo.

EU: Você é muito má.

(Nós rimos muito.)

KRISTEN: É sério, queria que a gente tivesse ido a Woodstock juntas.

Essa interação não aconteceu. Na verdade, Kristen Wiig era bem ocupada em *Saturday Night Live*. Quase nunca estava no escritório. Ou estava ensaiando no *set*, em uma prova de figurino, ou escrevendo esquetes com outras pessoas no escritório delas. Fazia sentido, mas era decepcionante.

Na hora do jantar, em uma quarta-feira, alguns assistentes de produção levaram grandes sacolas de comida e as colocaram em cima da mesa da sala de reuniões dos roteiristas. As pessoas saíram de suas salas para comer. Eu tinha passado as últimas quatro horas tentando escrever um esquete no qual Bill Hader era uma gata prenha. Não sei por que, mas na época achei que era engraçado. Tão engraçado que eu parava e olhava para o teto pensando: "Ah, cara, vai ser ótimo quando os outros ouvirem isso. Tipo 'Land Shark' da nova geração".

Entre os roteiristas estavam Amy Poehler, Seth Meyers, Rachel Dratch e Tina Fey. Era um belo grupo, especialmente porque ver Tina era uma raridade naquela época, quando ela estava editando seu piloto (que era o piloto de *30 Rock*). Enquanto todos falavam e brincavam, fiquei sentada à mesa ouvindo e sorrindo sem dizer nada, como uma animada aluna de intercâmbio que falasse bem pouco inglês.

A última vez que tinha me sentido daquele jeito foi no nono ano, quando tive que esperar no centro estudantil dos alunos do ensino médio enquanto meu irmão ia pegar as coisas dele para poder dirigir de volta para casa. Fiquei ali sorrindo como uma idiota, animada por estar diante de toda aquela gente mais velha e legal. "Pare de sorrir tanto", meu irmão falou quando se aproximou de mim. "Parece uma doida."

Coescrevi uma coisinha que foi ao ar. Foi um segmento para a Atualização de Fim de Semana em que Chad Michael Murray conversava com Tina e Amy sobre por que ele precisava tanto se casar em vez de só sair com mulheres. Porque, embora ele não afetasse ninguém de jeito nenhum, eu simplesmente sentia que Chad Michael Murray precisava ser satirizado! Will Forte representou o papel com valentia. Aquele pode ter sido o trecho de comédia mais desnecessário que já existiu em *Saturday Night Live*. "Mãe, pai, eu escrevi um esquete para *SNL*. Mais tarde explico quem é Chad Michael Murray".

Meu esquete da gata prenha para Bill Harder foi lido na mesa e teve tão pouca aceitação que lembro de ter pensado se devia fingir uma meningite para poder culpar a doença por aquele resultado ruim. Ou se podia fingir ironicamente que era tão ruim que ficava bom. O quê? Não sou *hipster* o bastante para isso? Comecei a escrever um *e-mail* para o meu agente perguntando se poderia ir embora depois da primeira semana ali. Estava literalmente no meio da mensagem quando alguém bateu na porta da sala que eu dividia com Kristen. Era Amy Poehler.

EU: Oi. Kristen está no palco, acho, mas posso deixar um recado para ela.

AMY: Ah, queria falar com você.

Amy perguntou se eu ia sair com os roteiristas e atores depois do trabalho. Respondi que sim, o que era uma grande mentira. Tinha planejado correr para o Sofitel (onde eles me hospedaram, a alguns quarteirões dali) e dormir assistindo ao *That '70s Show*, o que fazia todas as noites desde que cheguei a Nova York. Mas Amy, simpática e atenta, disse: "Quem sabe espero aqui então e vamos juntas?".

Todo mundo tem um momento em que descobre que ama Amy Poehler. Para a maioria das pessoas esse momento aconteceu durante a passagem dela por *Saturday Night Live*. Para outras foi quando ela voltou ao programa em 2009, grávida de nove meses, e fez aquele *rap* complicado e radical de Sarah Palin para a Atualização do Fim de Semana.

Notei Amy pela primeira vez quando eu estava no colégio e a vi no primeiro programa de Conan. Ela participava de um esquete como a "irmã Stacey" de Andy Richter. Stacey tinha tranças, usava fones de ouvido e era obcecada por Conan. Como artista, ela era aquela *gremlin* bonitinha, toda cotovelos, cabelo loiro e olhos maníacos. Como adolescente, segui sua carreira da melhor maneira possível sem a internet e fiquei muito feliz quando vi que ela tinha se tornado membro do elenco de *Saturday Night Live*. Adorei quando ela fez Kaitlin, com seu padrasto legal Rick.

Mas e quando essa pequena gênia popular me tratou com esse gesto de bondade? Foi o momento em que passei a adorar Amy Poehler. Ela sabia que eu seria covarde, e gentilmente ia ajudar em minha socialização. Andamos pela Rua 49 com um grande grupo de pessoas, e Amy perguntou sobre minha vida em L.A. Contei a ela, muito acanhada por parecer nervosa. Aquela era a mulher que, dez anos atrás, havia me inspirado a manter meus pais acordados até uma da manhã para vê-la em *Late Night with Conan O'Brien*. Quando eu falava alguma coisa meio engraçada, Amy ria crepitante e calorosamente. (Isso parece estranho, mas é a melhor maneira que conheço para descrever a risada de Amy Poehler: crepitante, calorosa e inebriante.)

A noite não foi especialmente memorável. Muitos amigos logicamente esperavam falar com ela, por isso não tive um precioso tempo a sós com Amy. Também esqueci de levar dinheiro e tive que pedir vinte dólares emprestados para um roteirista que mal conhecia. Mas permaneci na segunda semana de *SNL*. Antonio Banderas era o anfitrião, e apresentei um novo esquete na reunião. O esquete hilário era sobre gêmeas idênticas reunidas quando os pais morriam na queda do Muro de Berlim. Depois de uma leitura quase sem nenhuma risada,

Antonio olhou confuso para a assistente dele e disse: "Isso? Não faz sentido nenhum para mim".

Toda humilhação foi compensada por aquele momento radiante quando Amy Poehler me convidou para andar alguns quarteirões com ela tarde da noite, na cidade de Nova York, em 2006.

Roasts são horríveis

Com exceção de rinhas de cachorro ou de montanhas-russas chamadas de Apagador Mental, não tem forma de entretenimento que eu goste menos que os chamados *roasts* da televisão moderna.*

É uma vergonha real, porque acho que pegação de pé criativa, engraçada e até cruel é uma das maneiras mais catárticas de rir e aproximar as pessoas. É o motivo das comemorações de um casamento, além de dançar Electric Slide bêbado.

Não vou fazer discurso sobre os *roasts* do Friars Club da década de 1960, prometo. Não é que eu queira voltar à era dourada dos *roasts*, como aquelas pessoas irritantes que só gostam de entretenimento de outras épocas, menos do presente. Mas o que aprecio nos *roasts* do velho Friars Club é que quando, por exemplo, Freddie Prinze recebeu Sammy Davis Jr., foi como se eles realmente se conhecessem e as pessoas que promoviam o *roasting* não fossem ofensivos profissionais. Eles tinham outras carreiras, eram comediantes, atores, políticos. Aquilo era só uma coisa que faziam bem, de vez em quando. E era carinhoso.

---

* *Roasts*: em português, "fritadas", em que o comediante faz piadas às custas de um convidado ou de pessoas da plateia. (N.T.)

Quando vejo comediantes fritando suas vítimas e debochando cruelmente de seus pontos fracos, quero pegar a mão de, digamos, David Hasselhoff e dizer: "David, vai passar". Se isso não é crime de ódio, o que é? Mas, acima de tudo, penso nas pessoas que fazem os *roasts*. Eles ligam para os pais animados, tipo: "Olha, mãe! Consegui! Estou acabando com Pamela Anderson hoje à noite na televisão por causa das DSTs!". Jeff Ross é um dos mais talentosos comediantes vivos na minha avaliação, e ele faz *roasts* o tempo todo, o que é incrivelmente frustrante. O *stand-up* de Jeff é realmente engraçado, e é muito mais fácil de se identificar com isso do que com o material de *roast*. Ele devia ter um programa no qual seria um incrível protagonista. Não devia fritar os membros do elenco do *reality show Jersey Shore*. Ver Jeff nesses *roasts* é como ver o ex-tenista profissional Andy Roddick destruir no pingue-pongue no porão do seu avô.

Não preciso ouvir as pessoas acabando com a comediante Lisa Lampanelli por gostar de sexo apenas com homens negros. Fico triste por essa ser sua característica mais famosa. Fico triste por saber disso. Fico triste por um degrau na escada da comédia ser escrever coisas detestáveis sobre completos desconhecidos. Não sei. Também não gostei de ver fotos do corpo de Osama Bin Laden. Acho que as duas coisas têm alguma relação.

Quando vejo *roasts*, sinto um desconforto físico, como quando vejo um corvo se banqueteando de um esquilo que foi atropelado por um carro, mas ainda não parou de se mexer. A declarada atmosfera sem limites me lembra as placas das boates de *strip* em Hollywood Boulevard: "Temos garotas loucas! Elas fazem qualquer coisa!". Não temos que fazer qualquer coisa. Vamos estabelecer alguns limites.

Meus 11 momentos favoritos
da comédia

Quando eu era menina, tinha obsessão por listas com as minhas coisas favoritas. Mantinha uma ficha catalográfica com todas as minhas comidas preferidas na carteira, só para o caso de alguém me perguntar quais eram. Depois, quando as pessoas iam embora, eu imaginava que elas falariam: "Uau, Mindy Kaling é muito legal e sabe o que quer. Panquecas do McDonald's são seu prato preferido, e ela conseguiu *me dizer imediatamente*". Estava preparada para todo tipo de possíveis situações divertidas quando era criança. Mantinha um maiô na mochila, caso fosse a algum lugar onde tivesse uma piscina. Cresci na Costa Leste, onde as piscinas são muito importantes, mas, mesmo assim, meu planejamento era excessivo.

Quando comecei a me interessar por comédia, as listas se tornaram ainda mais importantes, porque acreditava que ter meus momentos favoritos das comédias em um arquivo revelava muito sobre mim. Pensava que seria divertido compartilhar minhas preferências.

Um aviso: esses momentos são todos bem recentes, dos últimos dez ou quinze anos. Meu chefe Greg Daniels ficou chocado por eu nunca ter ouvido falar de Jack Benny ou Ernie Kovacs antes de começar a trabalhar em *The Office*. Lamento não ser obcecada por *The Honeymooners* ou *O grande ditador*, ou mesmo por *Clube dos pilantras* e outras comédias clássicas das décadas de 1960, 70 e 80. Essa lista também é bem popular, o que significa que outros *nerds* da comédia vão ficar bravos por eu não incluir comédias alternativas. A lista também não inclui *stand--up*, porque aí teria que abrir uma categoria à parte com nomes como Louis C.K., Wanda Sykes, Mo'Nique, Jerry Seinfeld etc. Sei que deve haver omissões gritantes. Por favor, pessoal. Não sou uma profissional das listas. Sejam legais.

1. Will Ferrell gritando da cabine telefônica em *O âncora: a lenda de Ron Burgundy*

O âncora é um estranho pequeno milagre em forma de filme, com alguma importância na história dos filmes de comédia. Reuniu um elenco de estrelas de comediantes que inclui Will Ferrell, Paul Rudd, Steve Carell e David Koechner. Nenhum outro grupo com caras como eles seria tão engraçado quanto esse. Tenho certeza de que vou ver, e adorar de verdade, *Uncle Retreat* ou qualquer outro filme que seja lançado na sequência, mas nenhum vai me deixar de queixo caído como *O âncora*.

Quando Ron Burgundy – os nomes nesse filme são incríveis, aliás – acredita que seu cachorro foi morto por um motorista furioso (Jack Black, usado com perfeição), fica tão transtornado pela dor que não consegue apresentar o jornal naquela noite. Ele liga de uma cabine telefônica, em uma das mais teatrais e engraçadas exibições de luto que já vi. É tipo luto com L maiúsculo.

Tem um estilo de atuação enfático que Will Ferrell e Adam McKay empregam em seus filmes que é incrivelmente difícil de imitar. Se for malfeita, a comédia do exagero pode dar a impressão de que você está vendo uma produção de acampamento infantil de *12 homens e uma sentença*. Mas esse é o ponto forte de Will Ferrell. Ele construiu uma carreira fazendo coisas improváveis funcionarem, e não só isso, mas serem as mais engraçadas que já vi. (É claro que estou me referindo ao filme *Elf – um duende em Nova York*, cuja premissa sugere a conversa de uma criança insana e bêbada de *eggnog* no Natal.)

2. Liz Lemon chorando pela boca em *30 Rock*

O Jack Donagy de Alec Baldwin convence a Liz Lemon de Tina Fey a fazer uma cirurgia nos olhos para se tornar mais atraente no vídeo em seu novo programa de entrevistas. Infelizmente (e felizmente) a cirurgia a faz chorar pela boca. Acho que a piada é perfeita. Engraçada em teoria e pensamento, e ainda mais engraçada na performance de Tina. Além disso, é hilária visualmente. Tenho inveja de quem escreveu isso.

3. Chris Farley como Matt Foley

As melhores partes do grande livro *Live from New York*, de Tom Shales, são quando artistas como Chris Rock, David Spade e Adam Sandler falam sobre Chris Farley. Eles falam sobre o amigo do jeito mais reverente. Chris Rock diz que, quando alguém perguntava quem era o mais engraçado do grupo, era sempre, sempre Chris Farley. Entendo completamente.

Matt Foley, o orador motivacional, deve ser meu personagem recorrente favorito de *Saturday Night Live*. O nível de comprometimento de Chris Farley é assombroso, quase perturbador. A famosa cena em que ele escolhe David Spade como King Kong e mais tarde cai e quebra a mesinha de café é uma das coisas mais delirantes e engraçadas que já vi na vida.

4. Amy Poehler como Kaitlin

Nos últimos dez anos mais ou menos, Amy Poehler produziu o equivalente a uma vida inteira de performances inspiradoras. Kaitlin, a hiperativa de 11 anos de *Saturday Night Live*, é minha favorita. Tem uma inocência na performance que é uma surpresa. As aventuras de Kaitlin com seu contido, bondoso e equilibrado padrasto Rick – representado com a quantidade ideal de indiferença por Horatio Sanz – me fazem rir, mas também me fazem querer cuidar de Kaitlin. Uma das minhas maiores implicâncias é uma mulher que se infantiliza na vida real, mas tenho um lugar especial no meu coração para mulheres que sabem representar garotinhas de maneira convincente. Amy, toda mulher, toda incrível, fabulosa como menininha.

5. O esquete racial em *Chappelle's Show*

Se você assiste a esse esquete, não consegue acreditar que foi levado ao ar na televisão. O programa retratava todas as raças como equipes profissionais, escolhendo celebridades de uma pesquisa de todas as raças para formar a raça mais forte. *Chappelle's Show* levava ao ar, de forma consistente, esquetes de comédia política e racial, mas era tão engraçado que nunca teve problemas. Muita coisa pode ser perdoada se você for suficientemente engraçado. Sarah Silverman também tem esse raro dom. Se algum dia eu ameaçar uma piada racial, ela será tão desprovida de arte que vão querer me tirar do *set* imediatamente.

6. Paul Rudd em *Mais um verão americano*

Paul Rudd faz o namorado babaca mais engraçado de todos os tempos nesse filme. A cena em que ele se recusa a pegar uma bandeja é o momento em que Paul Rudd se transformou diante de meus olhos: passou de homem bonito em um filme de comédia a um estranho e incrível gerador de comédia no corpo de um homem bonito. Suas performances anteriores como o bonzinho em *As patricinhas de Beverly Hills* e *Romeu + Julieta* tornam essa transformação algo especialmente inesperado e divertido.

7. Ricky Gervais como David Brent

Só as pessoas que viram *The Office* britânico vão lembrar o momento em que David Brent diz: "Acho que houve um estupro ali", em um seminário de treinamento de sensibilidade que ele está comandando. Como descreveu meu amigo B. J. Novak, foi um momento tão profundamente engraçado na televisão que houve uma mudança de paradigma na comédia depois dele. Com o personagem de David Brent, Ricky Gervais garantiu que viveria para sempre no panteão, mesmo que fizesse anos de coisas terríveis e medíocres. (Não estou dizendo que ele vá fazer, mas poderia, se quisesse.) Ele é como Woody Allen, e *The Office* original é seu *Noivo neurótico, noiva nervosa*.

8. Christopher Moltisanti e a ajuda para o problema com drogas em *Família Soprano*

Família Soprano foi um dos programas mais engraçados que já existiram, com um nível de comédia de observação que muitas comédias adorariam ter. Essa é a única vez em que vi alguém ser "ajudado" com uma surra dos entes queridos.

9a. Frank the Tank levando um tiro de tranquilizante no pescoço em *Dias incríveis*

Desculpe, muito Will Ferrell. Adoro esse cara. Essa série de momentos é uma obra-prima de edição e excelentes escolhas de planos de Todd Phillips. Aqui vai a sequência: Frank the Tank é atingido no pescoço por um tiro de tranquilizante para animais de pequeno porte. Tonto e muito drogado, ele cambaleia por um quintal e derruba o elaborado bolo de aniversário de uma criança. Depois cai imediatamente na piscina, e, enquanto está embaixo d'água, a trilha sonora é a sombria e doce "Sounds of Silence", de Simon e Garfunkel, em homenagem ao filme *A primeira noite de um homem*. É só um *brownie* denso de comédia doce.

9b. Will Ferrel furando a própria coxa para provar que está paralisado em *Ricky Bobby – a toda velocidade*

Simplesmente incrível.

10. Melissa McCarthy em *Missão madrinha de casamento*

Às vezes você vê alguma coisa tão engraçada que, depois que o momento passa, percebe que parou de respirar. Está realmente sem fôlego. Foi assim que me senti na primeira vez que vi Melissa McCarthy em *Missão madrinha de casamento*, na cena em que ela encontra pela primeira vez a personagem de Kristen Wiig e diz que não está se sentindo muito bem porque "caiu de um navio de cruzeiro", "bateu em todas as grades na queda" e por causa disso "tem vários pinos de metal na perna". Nem sempre você escuta as palavras *cativante* e *nojenta* usadas para descrever a mesma personagem em um filme, mas Melissa McCarthy conseguiu invocar as duas da melhor maneira possível. Eu não conseguia desviar os olhos dela.

11. Michael Scott atropelando Meredith com seu carro em *The Office*

Na história de *The Office*, acredito que o momento isolado mais engraçado é quando Michael Scott atropela Meredith Palmer com seu carro, justamente quando está falando sobre como ama seus funcionários. Nosso programa pode ter uma grande equipe de roteiristas que escreve piadas fantásticas, e já vi atuações cômicas incríveis na série, mas nada se assemelha a quando Michael grita enquanto o corpo sem vida de

Meredith bate no para-brisa. Duvido que tenhamos feito alguma coisa mais puramente engraçada que isso. Acho que os homens de uma tribo em uma selva isolada no Congo achariam esse momento engraçado.

Alguns outros:

Borat na esteira em *Da Ali G Show*: nasce uma estrela.

O gigantesco ataque de gagueira de Michael Palin em *Um peixe chamado Wanda*: uma obra-prima. Todo mundo fazendo o que faz melhor ao mesmo tempo.

Dwight Schrute capturando um morcego com um saco de lixo em volta da cabeça de Meredith em *The Office:* um momento de pequena e hilária violência.

A imitação de Björk de Kristen Wiig em *Saturday Night Live*: reconhecível e instantaneamente engraçada e ao mesmo tempo completamente exagerada. Aquilo me fez querer ver mais Björk nas notícias só para eu poder ver mais daquela imitação.

Como eu escrevo

Moro em uma casa em estilo espanhol em uma região de Los Angeles perto de The Grove. Este centro comercial é uma maluquice de compras ao ar livre com uma fonte de jatos d'água sincronizados com músicas do Kool & the Gang. As pessoas adoram odiar The Grove, mas o lugar é loucamente popular. É o equivalente comercial da família Kardashian. Então essa é a minha vizinhança, e tenho uma casinha ali. E realmente adoro o lugar.

Comprei minha casa durante a famosa greve dos roteiristas em 2007. Claro que você lembra da greve, porque o motivo era o assunto polêmico e nacionalmente polarizador da porcentagem de resíduos acumulados na internet da mídia *on-line*. Pensar nisso agora não faz seu sangue ferver?! É claro que ninguém além de um pequeno grupo de roteiristas profissionais sabia o que realmente estava acontecendo ali, mas o ponto é que eu tinha muito tempo para não fazer nada além de não trabalhar e sangrar minhas economias. Quando não estava atuando nos piquetes, passava o tempo todo decorando minha casa para dar a ela uma aparência de *Architectural Digest* – tipo um cruzamento de Santa Bárbara com uma velhinha artista. Acho que fiz um trabalho apenas adequado, mas consegui evitar algumas ciladas típicas das casas de L.A.: tenho orgulho de dizer que não há um só pôster *vintage* de algum velho produtor francês ou estátua de Buda.

Mas meu maior orgulho é meu lindo escritório:

Construí, decorei e prontamente nunca usei. É importante ter um escritório com jeito de museu para, quando pessoas ou possíveis bió-grafos aparecerem por lá, pensarem que é ali que escrevo.

Não, o lugar onde realmente escrevo é aqui:

Como você pode ver, quando escrevo, gosto de dar a impressão de estar me recuperando de uma tuberculose. Sento na cama com o *laptop* em cima do cobertor ou de um moletom da Notre Dame que ponho sobre as pernas. Comprei o moletom quando estive lá fazendo *stand-up* em 2006. (Foi um fracasso, aliás. Aquela garotada me odiou e detestou minhas longas tiradas de matrona contra os *jeans* de cintura baixa. Fiz uma turnê de comédia por três faculdades com meu coastro de *The Office* Craig Robinson, que é hilário e profissional nessa coisa de se apresentar em faculdades. Ele toca piano em seu número, incorpora trechos de canções atuais, depois faz uma versão de uma canção original que ele escreveu e se chama "Tire a calcinha". Não preciso dizer que isso é muito engraçado, e todos os alunos da faculdade queriam que ele fizesse parceria com outro membro do elenco de *The Office*.)

O cobertor/moletom impede que o *laptop* aqueça demais e encha meus ovários de radiação, o que, todo mundo sabe, faz você ter filhos com TDAH. Quase sempre escrevo sozinha em casa. Nunca ouço música porque não consigo me concentrar com *remixes* de Nelly Furtado ao fundo e infelizmente só tenho uma música dançante no meu iPod, motivo pelo qual me tornei essa grande dançarina.

A principal razão para gostar de trabalhar em uma equipe de roteiristas é a natureza social do trabalho. Para colocar em termos amenos, sou uma pessoa muito social e falante. Para usar termos menos amenos, sou tagarela e frívola, como me descreve meu "aminimigo" Rainn Wilson. Escrever sempre foi incrivelmente desafiador para mim, porque no fundo é uma atividade solitária, criada para produzir gente deprimida, viciada em drogas, misantropa e esquisitões antissociais (como todo escritor bem-sucedido desde sempre, exceto Judy Blume). Também tenho um belo escritório no meu local de trabalho, mas costumo usá-lo basicamente como um *closet* bagunçado.

A internet também dificulta extraordinariamente a minha concentração. Um pequeno intervalo para dar uma olhada em como se faz leite de amêndoas, e quatro horas depois estou lendo sobre o Donner Party e mandando mensagens para todos os meus amigos: VOCÊS SABIAM SOBRE O DONNER PARTY E COMO AQUILO ERA CONFUSO? ESCREVAM PARA MIM, VAMOS FALAR SOBRE ISSO!

O jornal do meu colégio me entrevistou há alguns anos e pediu uma foto em que eu aparecesse escrevendo. Pedi a meu colega Dan Goor para tirar esta aqui, em que apareço como uma educada escritora em minha mesa de trabalho. É uma fraude tão grande que me faz rir.

Descobri que minha proporção de escrita produtiva e dispersão é de um para sete. Então, para oito horas escrevendo, só tem uma hora de bom trabalho produtivo sendo feito. As outras sete horas são de preparativos para escrever: andar pela casa, desmontar caixas de papelão para a reciclagem, ler os extras dos encartes nos DVDs de *Orgulho e preconceito* da BBC, deixar os lanchinhos prontos para quando for escrever e ver vídeos no YouTube de crianças que aprendem a coreografia de "Single Ladies". Eu sei. Não é horrível? Então, basicamente, escrever este trecho me tomou mais ou menos o período entre o dia de Ação de Graças e o Natal. Curta de maneira apropriada.

O dia em que parei
de comer *cupcakes*

Muito recentemente, fui afastada do roteiro de *The Office* por uma semana. "Afastada do roteiro" refere-se a ser escalada para escrever sozinha um primeiro esboço para um episódio do programa.

É um período incrível, basicamente uma folga remunerada e sancionada. Significa que, em vez de tomar banho, me vestir e ir trabalhar todos os dias, posso ficar em casa de camisetão e sem calça, ou ir fazer compras, ou experimentar aulas de aeróbica da moda com meus amigos desempregados e divertidos. É claro que esse é o melhor de todos os períodos.*

Dessa vez, quando estava fora da equipe, parei na minha casa de *cupcakes* favorita, que vou chamar de Sunshine Cupcakes. (Sunshine Cupcakes é um nome ridículo, mas é uma paródia contida de nomes de confeitarias de *cupcakes*. Você não faz ideia. Em Los Angeles, as confeitarias de *cupcakes* são tão numerosas quanto Starbucks. São produto de uma cidade com uma abundância de esposas-troféu, porque

---

* O outro melhor período é ficar deitada de costas comendo balas de alcaçuz, assistindo a horas de série dramáticas sobre crimes sexuais – ah, não se ofenda. Agora isso é um gênero; não fui eu que inventei – com a cabeça apoiada no peito de um querido relutante.

esposas-troféu são os motores financeiros do comércio de fofuras que distingue Los Angeles de todas as outras cidades norte-americanas: joias para os dedos dos pés, capinhas para maçaneta, comida vegana para cachorro, você entende. Se pareço cruel, é melhor eu reconhecer como admiro e invejo essas esposas-troféu. Eu me casaria com um só-cio da William Morris Endeavor e abriria um salão de pedicure para gatos, se tivesse essa sorte.)

Então, sim, na minha quarta visita consecutiva à Sunshine Cupcakes, eu estava pagando meu *cupcake* quando a gerente (avental de *cupcake*, óculos Far Side, cabelo com mecha cor-de-rosa: o uniforme universal da confeiteira extravagante, até onde eu sei) se aproximou de mim.

FAR SIDE: Você veio muito aqui essa semana.

EU (com a boca cheia de um pedaço generoso): É, adoro esse lugar, cara.

FAR SIDE: A gente sabe que você tem Twitter. (Se inclinando com um jeito conspirador.) E, se quiser tuitar sobre seu amor pela Sunshine Cupcakes, esse aí (e aponta para o *cupcake* na minha mão) é grátis.

Eu não sabia que era possível ficar *triplamente* ofendida. Em primeiro lugar, gerente, se você percebe que uma mulher de 32 anos frequenta sua confeitaria todos os dias durante uma semana, guarde essa informação para você. Não preciso de ninguém me lembrando que minhas escolhas alimentares são péssimas regularmente. Em segundo lugar, quanto você acha que sou barata e/ou pobre? Um *cupcake* custa dois contos! Acha que sou suficientemente miserável para pensar, tipo, ai, Deus, posso economizar esses dois contos para outra pequena compra mais tarde! E, terceiro, mesmo que eu fosse aceitar essa situação esquisita de suborno para endossar seu produto, acha que o preço seria um *cupcake* miserável? As implicações dessa oferta eram muito piores do que qualquer coisa que ela tenha pensado em propor, mas é óbvio que a odeio para sempre mesmo assim.

Por isso nunca mais comi *cupcakes*. As conotações são muito perturbadoras. Sorte minha que o todo-poderoso *donuts* está voltando. É bom que ninguém estrague os *donuts* para mim, ou vou ficar muito pistola.

Em algum lugar de Hollywood
alguém está propondo esse filme

Há alguns anos, sentei para uma reunião com executivos de um estúdio cinematográfico que vou chamar de Thinkscope Visioncloud. O estúdio havia lançado alguns dos meus filmes favoritos, e eles queriam ouvir minhas ideias, por isso fiquei muito animada, naturalmente. Tudo que os roteiristas de televisão fazem é sonhar em escrever filmes um dia. Queremos o brilho do mundo do cinema. Vou colocar assim: no Oscar, a pessoa mais famosa na plateia é, digamos, Angelina Jolie. No Emmy, a celebridade mais excitante é Kelsey Grammer, ou *talvez* Helen Hunt, se ela tiver decidido fazer Emily Dickinson ou alguma coisa assim em uma minissérie da HBO. Olha, Frasier Crane (interpretada por Kelsey Grammer) é incrível, mas você entende o que eu quero dizer. É esnobe é tremendamente ambicioso, mas é verdade. Então, um dia saí cedo do trabalho em *The Office* com uma atitude "a gente se vê, perdedores!" e fui para o meu destino.

O escritório do executivo júnior do Thinkscope Visioncloud era melhor que qualquer sala em um raio de 80 quilômetros do estúdio de *The Office*. A cadeira estofada em que eu estava sentada era de um couro caro e parecia apropriada para um juiz sentar em seu escritório particular em um programa de televisão. Eu estava tão nervosa que o suor na parte de trás das minhas pernas me fez grudar na cadeira. Ah, sim, fui de *shorts* à reunião. E daí? Para uma roteirista de televisão, aquele era um traje casual elegante para ir trabalhar. Quando terminei de expor minhas ideias para uma comédia romântica de baixo custo, a resposta foi o silêncio. Um dos executivos olhou acanhado para os outros.

EXECUTIVO: É, na real estamos tentando nos concentrar em filmes sobre jogos de tabuleiro. As pessoas parecem reagir bem a eles.

Passamos o resto da reunião discutindo com sinceridade se existiria algum potencial em um filme chamado *Yahtzee!* Fiz algumas sugestões educadas e fui embora.

Sempre me surpreendo com o que os estúdios cinematográficos pensam que as pessoas querem ver. Fico ainda mais surpresa com as vezes em que eles acertam. Os filmes a seguir são meu palpite sobre o que pode ser lançado em breve em um cinema perto de você:

- *Bananagrams 3D*
- *Apples to Apples 4D* (as plateias são atingidas por maçãs no fim do filme)
- *Clareador dental Crest*
- *Tubarões vs. vulcões*
- *Rei Tut vs. King Kong*
- *Streptococcus vs. Candidiasis* (infecção de garganta contra infecção por fungos)
- *A segunda chance*
- *Reviravolta decepcionante*
- *O descolado urbano*
- *O idiota urbano*, sequência de *O descolado urbano*
- *Astronauta gordo*
- *O sem título de Liam Neeson "Você pegou o projeto da minha parente"*

- *O sem título de Jennifer Lopez projeto Sonia Sotomayor*
- *Darling* (*Peter Pan* do ponto de vista do pai alcoólatra da família Darling)
- *O urso daquelas propagandas de papel higiênico 3D*
- *Catástrofe nojenta*
- *Odeio foda*
- *Puta gorda*
- *O cara do sexo*
- *A passeadora de cachorros má* (Já dá para ver o cartaz, não dá? Heather Graham de *shorts* colantes, puxada em oito direções diferentes por cachorros em coleiras com um sorriso malicioso.)
- *Trocaram o vovô*
- *Escola de madrastas*
- *Colcha humana* (filme de terror)
- *Não sou sua esposa!*
- *Você não é meu pai!*

Por mais que possa parecer que essa é uma lista debochada, se algum executivo de estúdio cinematográfico estiver lendo este livro e se interessar por algum título, ficarei feliz em marcar uma reunião. Tenho um esboço quase completo para *Clareador dental Crest*.

A MELHOR DISTRAÇÃO DO MUNDO:
romances e homens

Alguém me explica
os lances de uma noite só

Nunca tive um lance de uma noite. De acordo com todas as revistas e os programas de televisão já feitos para mulheres, essa é uma falha imperdoável, e me habilita a garantir vaga em uma excursão só para mulheres para uma ilha não incorporada ao território dos Estados Unidos. Toda comédia romântica que vejo mostra nossa adorável heroína saindo acanhada da casa de um estranho pela manhã, com o cabelo despenteado e o delineador todo borrado e *sexy*. Ela pode não ter encontrado ainda o Sr. Perfeito (é só o começo do filme), mas está se divertindo enquanto procura!

Simplesmente não entendo nada disso. E vou explicar a razão:

Na minha cabeça, a coisa mais *sexy* do mundo é se sentir desejada. O nervosismo sutil quando alguém pede o número do seu telefone. A mensagem de texto convidando para jantar. A simples manifestação de desejo por mim pode satisfazer meu ego por um bom tempo. A situação sexual que poderia derivar disso? Bom, acho menos atraente. Não quero dizer que não gosto de sexo; sou uma mamífera funcionando corretamente e tal. Só penso, tipo, quem é esse cara? Você não precisa saber mais sobre um homem do que cabe em uma conversa de uma noite no bar para tornar o sexo mais atraente?

Além disso, o medo é um brochante. Estou falando de segurança. Não é nem a questão da segurança sexual, coisas como DSTs. Estou falando da boa e velha segurança que envolve vida e morte. Tem uma coisa que não consigo entender. Mal falo com estranhos (um hábito que vem da infância e que me foi útil na vida adulta). Então, a ideia de ir para a casa de um estranho à noite, ou levá-lo para a minha casa, parece insanamente perigosa. Esse medo é tal que, quando as amigas me contam sobre os lances de uma noite só, sou uma ouvinte incrivelmente irritante.

AMIGA SEXUALMENTE LIBERADA E ANIMADA: Então, eram duas da manhã, e ele bateu na porta do meu apartamento. Eu estava de roupão, mais nada...

EU: Nem calcinha?

AMIGA SEXUALMENTE LIBERADA E ANIMADA: Não. Eu falei "mais nada".

EU (cética): Tenho a sensação de que estava de calcinha. É como você fica, tipo, quando descansa?

AMIGA SEXUALMENTE LIBERADA E ANIMADA: Sim.

EU: Você realmente gosta de ficar sem calcinha? Sou a única que acha isso muito desconfortável? (voz mais baixa) Você nunca... excreta?

AMIGA SEXUALMENTE LIBERADA E ANIMADA: Que nojo. Para com isso.

EU: Tudo bem. Mas vamos lembrar de voltar a essa conversa de ficar sem calcinha mais tarde.

AMIGA SEXUALMENTE LIBERADA E ANIMADA: Então, ele bateu na minha porta...

EU: Espera! Desculpa. Estou pensando, o porteiro deixou o cara subir sem nunca ter visto ele antes? Isso não a incomoda, saber que o porteiro deixa qualquer pessoa que passa pela rua subir até o seu apartamento? Eu daria ao porteiro um álbum de fotos das pessoas que podem entrar, tipo um livro de referência...

AMIGA SEXUALMENTE LIBERADA E ANIMADA: Não tenho problema nenhum com meu porteiro.

EU: Eu estabeleceria um procedimento diferente.

AMIGA SEXUALMENTE LIBERADA E ANIMADA: Ótimo, Mindy. Enfim, mostrei o apartamento para ele...

EU: Para o porteiro? (a ASLA olha para mim irritada) O cara! Sim, o cara!

AMIGA SEXUALMENTE LIBERADA E ANIMADA: Ele gostou da decoração. Elogiou muito.

EU: Estava preparando o terreno.

AMIGA SEXUALMENTE LIBERADA E ANIMADA: Não! Não estava! Estava sendo *sexy*, gentil e fazendo piadinhas fofas sobre fotos de família. E então perguntou se podia ver meu quarto...

EU: Seu quarto, para poder estuprar e matar você!

No fim, minhas interrupções constantes deixam a amiga tão irritada que ela para de contar a história. Acho que nada estraga um lance de uma noite só com tanta eficiência quanto uma amiga apontando todas as oportunidades em que podia ter sido assassinada.

Não me leve a mal, adoro ouvir essas coisas. Não quero parecer pudica, ou alguém que não vê um filme mais quente, ou algo assim. Na verdade, eu ficaria triste se não tivesse minha Amiga Sexualmente Liberada para me contar histórias francas e divertidas sobre desejos realizados.

Só acho que eu nunca seria capaz disso.

Então, comigo é assim: para você ir à minha casa, preciso saber seu nome e sobrenome. Preciso ter o número do seu telefone e de uma pessoa conhecida de nós dois para que você não possa desaparecer para sempre caso me assassine. Em última análise, tem a ver com isso: o quanto seria constrangedor eu ter que conversar com um investigador em uma delegacia, se você tentasse me estuprar e assassinar dentro da minha casa e não poder dizer a ele seu nome ou alguma informação sobre você porque estávamos tendo um lance de uma noite só. Eu via *Law & Order: SVU*. Sei como funciona.

"Ficar" é confuso

O leitor atento vai perceber que minha adolescência e o começo da vida adulta foram amplamente desprovidos de incidentes sexuais. Tudo bem, até o leitor menos atento vai perceber. Muito bem. Até se você der só uma olhada na contracapa deste livro quando estiver na fila da livraria, provavelmente vai chegar a essa conclusão. É o que acontece quando você tem amigos que preferem contar histórias de fantasmas em uma sala de estar com lanternas a relatar encontros sexuais picantes.

Por causa disso, acabei ficando para trás na terminologia. Estou particularmente cansada de não saber exatamente o que significa "ficar". Alguma versão disso acontece comigo constantemente:

AMIGO EUFÓRICO: Ah, oi! Fiquei com a Nikki ontem à noite.

EU: Que legal! Você foi a fim dela durante um tempo. Legal.

(Um "toca aqui!". Uma pausa.)

EU: O que isso significa? Vocês fizeram sexo?

AMIGO EUFÓRICO: Você é desagradável.

Não é que eu seja uma pervertida querendo saber detalhes tórridos (dessa vez, pelo menos). É só que não faço ideia do que se está falando. Houve ocasiões em que amigos disseram que tinham ficado com alguém, e isso significava só que tinha rolado uma sessão de beijos muito esperada. Outras vezes, a coisa é uma noite inteira de sexo aos montes.*Dá para ter uma compreensão universal do termo, de uma vez por todas? De agora em diante, vamos concordar que ficar = sexo. Todo o resto é "pegação". E, se você tem mais que 28 anos, só beijar alguém não conta para nada e nem vale a pena mencionar. A menos que seja mórmon; nesse caso você vai para o inferno. Pronto, acho que estamos falando a mesma língua. Se a Europa conseguiu encontrar uma maneira de implantar o euro, acho que a gente pode dar um jeito nisso.

---

* *Noite inteira de sexo aos montes* também é o nome do meu álbum de estreia no hip-hop.

Adoro saídas à irlandesa

Recentemente aprendi que "saída à irlandesa" é quando você sai de uma festa sem falar com ninguém (provavelmente por estar bêbado demais para falar). "Saída à francesa" é quando você sai cedo de uma festa sem se despedir de ninguém ou pagar sua parte na conta, e talvez também esteja bêbado. Ah, talvez eu tenha encontrado essas coisas em um *website* meio xenofóbico. Elas me fazem pensar em saídas judias ou saídas negras. Tudo bem, campo minado. Fui longe demais.

Acho que saídas à irlandesa na verdade deveriam ser de regra, menos a parte de estar bêbado. Sair de fininho é basicamente tudo que faço atualmente nas grandes festas. Minha versão de uma saída à irlandesa tem uma nota de enganação, porque inclui eu perguntar em voz alta: "Onde é o banheiro?", e fazer gestos teatrais olhando em volta, como uma turista perdida. Aí, em vez de ir procurar o banheiro, pego meu casaco sem dar bandeira e vou embora. Outras vezes falo: "Ah, acho que deixei o farol do carro aceso!", ou "Meu Deus, acho que deixei o carro aberto". Carros são ótimos pretextos para saídas à irlandesa. As pessoas nunca duvidam de coisas esquisitas que acontecem com seu carro porque é um assunto extremamente chato de ouvir.

O motivo para eu adotar a saída à irlandesa não é pensar que sou legal e ocupada demais para me incomodar com delicadezas. É que, quando estou em uma reunião com mais de trinta pessoas, não quero desperdiçar o tempo delas com ois e tchaus. Acho que isso de fato é o mais educado para se fazer, porque não vou coagir os convidados a dividir comigo um grande momento de despedida. Aí as outras pessoas acham que têm que parar o que estão fazendo e me abraçar. É um dominó de perda de tempo.

A saída à irlandesa deve ser sutil, um jeito de ir embora sem criar perturbação, e sim, de vez em quando, um jeito de não chamar atenção para uma bebedeira épica. A única coisa chata é ter que se sentir confortável mentindo na cara de pessoas de quem você gosta. Só fui desmascarada uma vez. Foi no aniversário da minha amiga Louisa, na cobertura do Downtown Standard Hotel em L.A., quando eu tinha 27 anos. Eu estava meio constrangida, porque iria à festa com minha amiga Diana, mas ela desistiu na última hora para ir ao Burning Man.* Diana seria minha base de apoio, porque eu sabia que meu ex-namorado iria à festa com a nova namorada, Chloe.

Uma palavra sobre Chloe: ela era tão jovem (ou parecia ser tão jovem) que fez o papel de filha de uma atriz quatro anos mais velha que eu em um programa de TV. Mas o pior sobre Chloe é que ela era um doce.

Chloe veio falar comigo.

CHLOE (tímida): Posso dizer que você é minha heroína? Peguei o trem da Long Island Rail Road para ver *Matt & Ben* quando eu estava no ensino fundamental.

---

* Tenho a impressão de que estou sempre sendo trocada pelo Burning Man Festival. O Burning Man Festival é um festival anual que é um "experimento em expressão humana". Só alguma coisa repreensível seria tão vaga. Tem poucas coisas que nunca fiz e que posso afirmar categoricamente que odeio. Uma é o Burning Man. As outras são saltar de para-quedas, *ménage à trois* e quando os pais contam histórias sobre seus bebês e incorporam as vozes infantis. Adoro ouvir sobre seu filho! Mas use sua voz normal!

Não se atreva, Chloe. Não ouse me impedir de odiar você. Pare de olhar para mim toda franca com esses olhos de Bambi. E qual é, eu sou sua "heroína"? Quantos anos eu tenho, dez mil? Falei rapidamente alguma coisa estranha como "Deus a abençoe, criança", pedi licença e me afastei. Fui falar com Louisa, que estava com meu amigo Pete, quando comecei o procedimento de saída à irlandesa.

EU: Cara, sabe de uma coisa? Acho que deixei o porta-luvas aberto quando estacionei o carro. Vou dar uma olhada.

PETE: É só falar que vai embora. A gente sabe que você não vai voltar.

Pete leu meus pensamentos. Naquele momento, eu estava pensando em algum quiosque de tacos no caminho de casa que ficasse aberto 24 horas e aceitasse cartão de crédito.

Uma palavra sobre Pete: ele é um cara muito divertido, direto, meio pessimista e um grande amigo, é como se Larry David fosse seu parceiro. Também é um desses homens cuja fala sem rodeios é charmosa quando usada com outras pessoas, mas irritante quando usada com você.

EU: Não vou embora. Só preciso dar uma olhada no carro e talvez ir ao banheiro. Tenho bebido muita água ultimamente. Saúde. Ha, ha.

Imitei o gesto de beber um longo gole de água para enfatizar a declaração.

PETE: Por que você tem sempre que explicar por que vai ao banheiro?

Pete tinha razão. Ninguém jamais fica curioso sobre por que as pessoas vão ao banheiro. Era um enorme sinal de culpa: dar informação excessiva sobre minha história falsa era um gesto muito amador.

Argh! Aquela Chloe idiota me abalou com sua juventude e doçura surpreendente. Por que não foi uma completa cadela comigo, como eu teria sido, se fosse a jovem e gostosona? Droga, Chloe!

Então tive uma ideia.

EU: E aí, estou tentando ir embora ou quero ir ao banheiro, Pete? Melhor decidir quais são minhas motivações antes de me acusar de alguma coisa.

Olhei em volta para ver se mais alguém percebia meu nível *O homem que fazia chover* de argumentação. Ninguém.

PETE (irredutível): É óbvio que você vai embora.

EU: Bem, alguém que vai sair de fininho deixaria o casaco?

Tiro a jaqueta lentamente e, com um floreio, a jogo sobre o sofá. Olho para Pete com ar triunfante e saio da sala. Ainda estava andando com ar triunfante quando passei pelo corredor, pelo banheiro feminino, entrei no elevador, atravessei o saguão do Standard para a rua, onde peguei meu carro e fui embora.

A jaqueta era da Forever 21. Desculpa, Pete, você não sabe o que é a liberdade de uma jaqueta de 17 dólares quando você se vê em uma festa com um ex-namorado e sua nova namorada gata. E é assim, meus amigos, que se executa uma saída à irlandesa. Obrigada, Forever 21!

Os homens precisam fazer quase nada para serem ótimos

Desculpem, mas ser homem é muito fácil. Um toque de Kiehl's, um toque de Bumble and Bumble, um casaco legal, um All-Star Chuck Taylor, e está gato.

Aqui vai meu guia incrivelmente presunçoso para ser um cara incrível por dentro e por fora. Basicamente por fora, por que quem sou eu para instruir seu aperfeiçoamento interno? Preciso dizer aqui que, se você é o tipo de cara iconoclasta que segue o ritmo da própria música, vai achar isso insuportável. Entendo completamente. Mas por que está lendo este livro? Não devia estar fazendo uma trilha nos Apalaches ou alguma coisa do tipo?

1. Compre um casaco *peacoat* J. Crew de bom caimento

Ou espere até as liquidações de Natal chegarem ao auge e compre um casaco de lã de grife, como um John Varvatos ou coisa assim. Preto fica bom em todo mundo (Fiscal do Óbvio) e combina com tudo (Polícia Dã), mas cinza-escuro também é bom. Você sempre pode parecer um redator dos discursos de Obama com um *peacoat* elegante. Ah, e mande limpar uma vez por ano. Parece bobagem, mas uma boa limpeza pode devolver o verdadeiro brilho de um *peacoat* e fazer você parecer tão chique quanto no primeiro dia em que o vestiu.

2. Tenha uma bebida que é sua marca registrada, como James Bond

É bobo, mas sempre fico impressionada se um cara tem uma bebida preferida. É claro, se tem uma tonelada de ingredientes complicados, como purê de frutas vermelhas ou algo assim, você pode dar a impressão de que é um esquisito gastador, então não faça isso. Se você gosta de uísque, tenha uma marca favorita. Dá a impressão de que você é realizado e maduro. (Não precisa pedir a bebida com aquela pose teatral de James Bond. Isso é só para dar *close*.)

3. Tenha vários *jeans* retos de lavagem escura

Nada de *bootcut*, nada de *skinny*, só uma boa Levi's sem detalhes nos bolsos. Sem detalhes em lugar nenhum. Nada. Ai, meu Deus.

4. Espere até todas as mulheres entrarem ou saírem do elevador para entrar ou sair

Olha, não sou nenhuma obcecada por cavalheirismo nem nada disso, mas esse pequeno gesto de cortesia é muito visual e memorável.

5. Quando achar uma garota bonita, fale

Mas não faça referência a nada que possa dar a impressão de que você percebeu o processo de bastidores; por exemplo, diga "você está linda hoje" e não "gostei da maquiagem de hoje". Além disso, um elogio fica menos importante se você elogia a coisa, não como a garota a está usando. Então diga "você fica *sexy* com essas botas", em vez de "essas botas são muito legais". Eu não fiz as botas! Não me interessa se você gosta do *design*! Para você é mágica: você nem imagina o que fazemos para ficar lindas.

6. Evite perguntar se alguém precisa de ajuda na cozinha ou em uma festa, só comece a ajudar

Vale para a louça também. (Na verdade, se não quer ajudar, pergunte se a pessoa precisa de ajuda. Nenhum anfitrião de respeito vai responder que sim.)

7. Tenha uma excelente colônia que não seja de farmácia

Só uma. Use bem pouco, o tempo todo. Nem sei explicar o quanto é *sexy* ser envolvida por um homem de cujo cheiro você lembra. Assim, cada vez que eu sentir o cheiro da colônia, vou lembrar de você. É um jeito de invadir minha psique, cara! Um arrepio na espinha!

8. Os pais ou irmãos da sua namorada podem ser completamente malucos, mas sempre os defenda

Sempre. Tudo que uma garota quer é se dar bem com a família, e, se você ajudar, será amado eternamente. Pode ser mais fácil condená-los, especialmente se ela já estiver fazendo isso, mas, mesmo que eles sejam assassinos, ela vai ver o lado bom, *principalmente* se você começar a falar mal deles. Seja o cara que diz: "Ei, vamos visitar seu irmão na prisão no dia de visitas". Ela provavelmente nem vai querer que você faça isso, mas vai lembrar para sempre que você se ofereceu.

9. Kiehls's é para sua pele, Bumble and Bumble é para o seu cabelo

Talvez um pente. É só isso de que você precisa. E, quando a garota olhar no armário do seu banheiro (o que ela vai fazer cinco minutos depois de entrar na sua casa), vai ter a impressão de que você é elegante e co-medido porque só tem dois produtos de beleza. Você é praticamente um caubói.

10. Eu realmente acho que um homem só precisa de dois pares de sapatos

Um bom par de sapatos pretos e um par de Chuck Taylors. O lance, é claro, é que você precisa trocar os Chuck Taylors uma vez por ano. Não pode relaxar com isso. Esses tênis começam a feder. Custam quarenta dólares. Dá para comprar um par novo todo ano. E se não der, por que não dá? Você tem problemas muito mais sérios. Pare de ler isso e vá cuidar deles.

11. Leve vinho ou chocolate para tudo

As pessoas adoram quando os homens fazem isso. Não só pelo presente, mas porque é encantador imaginar você na fila do Trader Joe's antes da festa.

12. Tenha um pouco de ciúme de vez em quando, mesmo que não seja ciumento

Demais é assustador, mas a mão possessiva nas costas em uma festa, quando sua namorada está muito gata, é incrível.

Coisas não traumáticas que me fizeram chorar

Agora já sinto que a gente se conhece bem. Você leu sobre garotos africanos que faziam *bullying* comigo, sobre peças da Broadway que me rejeitaram e sobre meu chefe me botando para fora do meu local de trabalho. Quando chorei por causa dessas coisas, a dor foi real. Então, acho que devo me sentir grata por todas as vezes em que chorei por alguma coisa que não deixou nenhuma cicatriz emocional. Não é isso que nos torna mais sábios, ou mais interessantes, ou algo assim? Nietzsche fez uma coisa inteira com isso. Enfim, além de chorar aquele choro típico feminino de charme, como em *Diário de uma paixão*, também fui às lágrimas por algumas outras coisas, que relaciono sem nenhuma ordem específica:

A PROMESSA DE EVAN LIEBERMAN

Pouco antes da época de Natal, quando eu tinha 26 anos, conheci um cara muito legal. Vou chamá-lo de Evan. Ele era da área de finanças e tinha sido colega de quarto na faculdade do meu amigo Jeff, que trabalhava em um *sitcom* que eu adorava. Evan era inteligente, financeiramente estável e adorava comédia, embora não trabalhasse com isso. Tínhamos basicamente a mesma descrição de trabalho, o que significa que trabalhávamos muito em empregos que amávamos. O mais notável era a alegria de Evan. Parece estranho, mas alegria é uma coisa muito difícil de encontrar em Los Angeles. Acho que às vezes as pessoas pensam que alegria é sinônimo de burrice, por isso ninguém é alegre. Na época, lembro de ter pensado: *só quero conhecer um cara que não tenha ouvido em algum momento da vida um diagnóstico de depressão clínica.* Esse era meu único critério. Ah, e que ele não me fizesse converter para nenhuma religião, se o relacionamento ficasse sério. (Uma coisa que você precisa saber sobre mim: eu me recuso a deixar de ser culturalmente hindu e uma profundamente supersticiosa proprietária de uma árvore de Natal.) Evan era muito excitante. Em nosso primeiro encontro, me levou a uma churrascaria coreana muito legal em K-Town, um lugar que ele sem dúvida havia pesquisado e visitado antes. Esse tipo de esforço aparente me conquista. Durante o jantar, Evan me contou muitas histórias engraçadas e meio constrangedoras sobre si mesmo. Ele adorava *The Office* e tinha visto exatamente metade dos episódios, que era a quantidade perfeita para mim, por alguma razão. Era engraçado de um jeito natural. Além disso, era muito fofo, tipo "o cara mais lindo da turma de cálculo", se é que isso faz sentido.

Os homens têm alguma ideia de quanto tempo as garotas passam se preparando para um encontro promissor? Para o meu segundo encontro com Evan, passei a tarde depilando as sobrancelhas e fazendo as unhas e gastei uma fortuna na Fred Segal comprando uma saia nova e ainda mais tempo pedindo a opinião das vendedoras. Francamente, não entendo como as pessoas marcam encontros em dias de semana; elas não querem toda a diversão antes de ficarem prontas? Mantive todas as amigas informadas sobre meu encontro iminente com uma longa e exaustiva cadeia de *e-mails* cujo título era: "PUTA MERDA, GENTE, TALVEZ EU NÃO VIRE UMA JANE EYRE MALUCA DO PORÃO,

AFINAL". Gosto muito desses rituais; esperar faz parte da diversão de ter um encontro legal. Mas exige muito tempo e esforço.

Às seis e meia daquela noite, estava no banheiro com o cabelo enrolado em *bobs*, sim, *bobs* cor-de-rosa, como em um filme de Doris Day, quando Evan mandou uma mensagem (uma mensagem!) cancelando o jantar porque não estava "se sentindo bem". Nenhum detalhe do mal-estar, nenhuma intenção compungida de marcar um novo encontro, nada. Só uma mensagem vaga e curta que terminava com um emoji triste. Faltava menos de uma hora para ele passar para me pegar.

Comecei a chorar quase imediatamente. Uma coisa impressionante em mim é que o tempo entre um pensamento triste e uma torrente de lágrimas é de aproximadamente três a quatro segundos. Me senti tão boba por ter gastado tanto tempo (e dinheiro!) me arrumando. Além da dor da rejeição, ele também me privava de uma noite divertida, de sair, de um beijo de boa noite e de atualizar minha correspondência "PUTA MERDA, GENTE, TALVEZ EU NÃO VIRE UMA JANE EYRE MALUCA DO PORÃO, AFINAL" com uma mensagem exuberante. Parece banal, e é, mas é muito difícil conhecer alguém com quem eu pense em passar algum tempo a sós, por isso foi um golpe doloroso descobrir que havia terminado tão depressa quanto tinha começado. Mandei um novo *e-mail* para minhas amigas, mas mudei o assunto para "ELE CANCELOU POR MENSAGEM. PENSANDO EM ME VICIAR EM MORFINA PARA ALIVIAR A DOR". Todas responderam em poucos minutos com os comentários apropriados, como "foda-se esse cara!".

Quanto a Evan, mandei uma resposta jovial, tipo "Tudo bem! Melhoras!", para manter as aparências. Evan agradeceu por eu ter reagido tão bem, e nunca mais ouvi falar dele.

MANOBRISTAS QUE TÊM A IDADE DO MEU PAI

Não consigo lidar com isso. Quando vejo um cara da idade do meu pai correndo pela rua para ir buscar um carro, isso parte meu coração.

O ÁLBUM *GRACELAND*

Em 2004, quando comecei a trabalhar em *The Office* e não tinha amigos, ouvia *Graceland* e chorava. No caminho para o trabalho, no caminho para casa. E não eram só as canções sobre perda, como "Graceland". Chorava até com "You Can Call Me Al".

Aprendi que os álbuns que me lembram da alegria da infância hoje me deixam muito triste. Só tenho boas lembranças de cantar *Graceland* com meus pais no carro nas longas viagens para Virginia Beach, onde íamos visitar os amigos deles. Na verdade, é meio que minha coleção portátil de imagens da infância. Acho que o que me faz chorar toda vez que escuto esse disco tem alguma relação com saber que nunca voltarei àquele tempo, é isso.

ARTIGOS DE REVISTA DEPRIMENTES E ATUAIS SOBRE RELACIONAMENTOS

A cada dois meses, mais ou menos, surge um artigo inovador em uma revista de circulação nacional. O artigo divulga grandes conclusões sobre relacionamentos, como, por exemplo, como as mulheres não precisam mais dos homens, ou como, se você é mulher e tem mais de 35 anos, deve se contentar com qualquer homem que seja mais ou menos legal com você, ou como a monogamia não é viável, plausível ou agradável para nenhum ser humano e por isso deveríamos todos ser praticantes de *swing*, ou publicam um estudo dizendo que você não precisa mais amar seus filhos, ou algo assim. É o tipo de artigo que é enviado por *e-mail* para todos os lugares, e recebo umas oito vezes.

Leio um desses artigos e fico imediatamente tão envolvida que não consigo deixar de pensar: *Sim, sim, isso é 100% certo. Finalmente! Alguém confirmou aquela parte minha que nunca amou meus filhos! Ou fico feliz por estar muito mais perto daquela vida de* swing *que secretamente sempre quis ter! Sou normal! E agora isso é uma discussão nacional, outras pessoas concordam, e posso me sentir normal.* Mas uma semana mais tarde estou pensando: *Odeio isso. Me sinto péssima.* Essa porcaria de artigo de revista ajudou a convencer estudantes de artes de mente mais aberta de que o núcleo familiar não existe sem alguma distorção horrorosa, como o pai poder visitar um porão de S&M uma vez por semana ou coisa assim. Isso me faz chorar, porque significa que cada vez menos gente acredita que é legal querer o que eu quero, que é casar e ter filhos e amar um ao outro em uma relação monogâmica e duradoura.

MARK DARCY

Todas as mulheres amam Colin Firth: Mr. Darcy, Mark Darcy, George VI – a essa altura ele poderia fazer o papel do Assassino do Craiglist, e as pessoas diriam: "Ai, meu Deus, o Assassino do Craiglist tem um sorriso jovial!". Adoro Colin Firth em tudo, mesmo como o obcecado, irritado e torturado marido não Ralph Fiennes em *O paciente inglês.* Mas o papel que me faz chorar é Mark Darcy, de *O diário de Bridget Jones.*

Quando conhecemos Mark, ele é tipo um, bom, um babaca. É arrogante e crítico e parece se levar muito a sério. Mas é secretamente maravilhoso (e não tão secretamente lindo). Tem uma parte do filme – eu vi seis ou sete vezes, e, juro por Deus, cada vez que essa cena se aproxima, começo a chorar por antecipação – em que vemos pela primeira vez que Mark Darcy não é um cara mau. Na verdade, vemos que ele é demais.

Lembram da cena em que Bridget está saindo de fininho do terrível jantar de casais, depois de ter se humilhado na frente de todos os seus "casados felizes"? E quando ela está na porta, Mark a faz parar e diz: "Gosto muito de você. Do jeito que você é".

É ridículo eu gostar tanto disso. É tão simples. Não é uma declaração inteligente e perfeitamente recitada pelo nosso charmoso herói neurótico. É tão... simples. Mas a ideia é a coisa mais bonita do mundo. Então obviamente me faz chorar.

A TRILHA SONORA DE *UM NATAL DO CHARLIE BROWN*

Se algum dia eu for escalada para o elenco de um filme tipo *A troca* e tiver que chorar instantaneamente porque meu filho foi assassinado, vou deixar o álbum *Um natal do Charlie Brown*, de Vince Guaraldi, pronto para tocar no meu *trailer*. As vozes infantis e as conexões de Peanuts da minha infância são só o começo. (Sempre me identifiquei com Patty Pimentinha, caso você esteja se perguntando, aquela menina-menino estridente, cheia de opinião, que ia atrás do *crush* sem nem saber com certeza que gostava dele.) A música é linda, mas até os arranjos animados têm alguma coisa triste, como *Blue,* de Joni Mitchell.

BLUE, DE JONI MITCHELL

Conheço cada palavra desse disco, mas você nunca perceberia porque me debulho em lágrimas o tempo todo. Além disso, acho extremamente impossível não chorar quando ouço "Landslide", de Stevie Nicks, especialmente o verso: "Tive medo de mudar/ porque construí minha vida à sua volta". Acho que um bom teste para ver se um humano é na verdade um robô/androide/cilônio é fazê-lo ouvir essa música e estudar sua reação. Se não chorar, enfie uma faca no coração dele. Você vai encontrar uma caixa de fusíveis.

SE MINHA MÃE CHORA

O motivo não faz diferença nenhuma, se minha mãe chora, eu começo a chorar. Acho que tem a ver principalmente com o fato de minha mãe nunca chorar. Ela é muito fria. Eu, por outro lado, choro cinco vezes por semana. Fomos ver *Histórias cruzadas*, e durante o filme percebi que ela começou a lacrimejar. Era uma coisa tão rara que eu também comecei a chorar. Logo estávamos as duas chorando tanto que era como se tivéssemos sido empregadas negras no Mississippi da era Kim Crow e o filme nos retratasse. As pessoas ficaram espantadas.

Homens judeus

Primeiro, um aviso: sei que muita gente racista vai dizer: "Mas alguns de meus melhores amigos são negros!" antes de começar um longo discurso racista. Isso não vale mais como desculpa para o racismo. Entendi. Porém, acho que tenho uma circunstância muito diferente. *Todos* os meus melhores amigos são judeus. Isso não me permite dizer o que eu quero? Espero que sim, porque tenho muito para dizer.

NÃO SEJA TÃO HIPOCONDRÍACO

Quê? Estou resfriada. Não faça essa cara de horror. O pior que pode acontecer é você também ficar resfriado. Não precisa usar gel antisséptico mil vezes por dia e entrar em pânico cada vez que eu entrar na sala.

Além disso, no improvável evento de você adoecer, não precisa fazer um relato quadro a quadro, como se ninguém tivesse ficado doente antes ou como se houvesse algum suspense na história do seu resfriado, com reviravoltas e surpresas. ("Acordei hoje de manhã me sentindo bem, mas fiquei muito mal na hora do almoço!") Conheço essa história. Você vai melhorar. Isso passa.

MAS E SE FOR MAIS QUE UM RESFRIADO?

Não é. É só um resfriado.

CONTRATAR ALGUÉM PARA PENDURAR
UM QUADRO NA SUA PAREDE

É tão ruim quanto contratar um cara para transar com a sua esposa? Não, não é tão ruim. Mas você entendeu. Lamento ter dito isso. Tudo bem, contrate um cara para pendurar um quadro na sua parede. Tudo bem, tudo bem, tudo bem. Também não sei como deixar ele retinho.

OBRIGADA POR GOSTAR TANTO DE COMIDA INDIANA

Na faculdade, todos os caras que não eram judeus tratavam a comida indiana como se fosse alguma anomalia exótica a ser recebida com "ooohs" e "aaahs". Gosto quando vamos a um restaurante indiano e você não olha para o cardápio com ar de súplica e pede para eu "escolher por nós dois".

LARRY DAVID

Fico louca com a conexão especial que você sente com ele. Como quando você dá aquela risadinha e diz: "Oh, Larry", como se ele fosse um amigo incorrigível do seu pai no templo. Nós dois o conhecemos porque o vimos no programa dele, a que assistimos juntos, ao mesmo tempo.

ISRAEL

Israel é interessante, mas, cada vez que falamos sobre o país, tem que ser por, tipo, duas horas. Eu quero falar sobre o assunto, mas não pode ser por duas horas!

EU TAMBÉM TENHO MÃE

Ah, olha. Sei que você fala com a sua mãe duas vezes por dia pelo telefone, e eu só falo com a minha uma vez por dia. Isso não quer dizer que sua mãe é melhor que a minha. Também sei que sua mãe é uma cozinheira incrível. Tenho a impressão de que você acha que minha mãe alimentava a gente com Hamburger Helper quando éramos pequenos.

Quando você me fala da sua mãe e de como ela é incrível, ouço com respeito e falo: "Uau, ela deve ser ótima mesmo". Mas, quando falo da minha mãe, você fica meio distante, como se eu fosse uma criança alucinada falando sobre como um dia vou ser presidente. Você não consegue reconhecer nem minimamente que a mãe de alguém pode ser criativa, divertida, presente e irreverente como sua mãe.

EXCETO A MÃE DE EZEKIEL, RAHM E ARI EMANUEL

Aí estamos de acordo. Ela é incrível. Ela pode fazer o que quiser.

NATALIE PORTMAN

Sei que no fundo você acha que poderia ter acabado com Natalie Portman, se tivesse feito as coisas de um jeito um pouquinho diferente. Legal. Pode acreditar nisso. Não está prejudicando ninguém.

Homens e meninos

Às vezes, levo um roteiro no qual estou trabalhando para um restaurante, sento perto de pessoas e fico ouvindo a conversa. Eu poderia justificar – *Ah, essa é uma boa pesquisa antropológica para os personagens que estou escrevendo –*, mas é basicamente só xeretice. Gosto de ouvir especialmente as mulheres da minha idade. Além de ser inspirador, me ajuda a avaliar onde estou em comparação a elas. Sou normal? Estou fazendo os exercícios aeróbicos da moda? Estou lendo os livros certos? Glúten ainda é ruim? Sabonete é legal de novo ou xampu corporal ainda é a melhor opção? Foi ouvindo conversas que descobri que você pode comprar manteiga de amendoim fresca no Whole Foods, em uma máquina que *tritura o amendoim na sua frente*. Eu havia perdido muito tempo na vida comendo a estúpida e velha manteiga de amendoim já pronta. Então, sim, recomendo enfaticamente um pouco de xeretice de vez em quando.

Uma vez, no BLD, um restaurante onde eu estava escrevendo, vi duas mulheres atraentes de trinta e poucos anos conversando durante o *brunch*. Elas haviam terminado e estavam tomando mais um café, por isso eu sabia que a conversa era boa.

Ouvi o seguinte:

GAROTA 1 (judia bonita, calça de ioga Lululemon, corpo ótimo): Jeremy acabou de concluir o programa de escrita criativa na Columbia. Mas agora quer tentar o curso de direito, talvez.

GAROTA 2 (asiática miúda, cabelo negro, seios estranhamente enormes [para uma asiática]): Ah, Deus.

LULULEMON: O quê?

32D: Quantas pós-graduações ele vai fazer?

LULULEMON: Eu sei. Mas não é culpa dele. Nenhuma editora está comprando contos de gente desconhecida. Basicamente, hoje em dia você tem que ser Paris Hilton para vender livros.

32D: Nos últimos dez anos, desde que Jeremy saiu da faculdade e começou em vários empregos como estagiário enquanto tentava outros cursos, você arrumou um emprego que virou uma carreira.

LULULEMON: É, e daí?

32D: Jeremy é um menino. Você precisa de um homem.

Lululemon não reagiu bem ao comentário, como eu imaginava.

Me senti mal por Lulu, porque já tinha sido Lulu. É muito difícil quando você percebe que o cara com quem está namorando é basicamente um colegial na alma. Faz você se sentir como a professora Mary Kay Letourneau. É a pior coisa.

Até os meus 30 anos, só saí com meninos, até onde posso dizer. Vou explicar a razão. Os homens me apavoravam.

Homens sabem o que querem. Homens fazem planos concretos. Homens têm despertadores. Homens dormem em um colchão que não fica no chão. Homens dão gorjetas generosas. Homens compram xampu novo em vez de pôr água na embalagem quase vazia. Homens vão ao dentista. Homens fazem reservas. Homens beijam sem fazer um longo preâmbulo sobre como estão pensando em beijar você. Homens usam roupas que nunca foram usadas por ninguém antes. (Tudo bem, talvez os homens não sejam exatamente assim. Isso foi o que percebi de um punhado de homens que conheço ou de quem ouvi falar, variando de Heathcliff Huxtable a Theodore Roosevelt e meu pai.) Homens sabem o que querem e não deixam você entrar em seu monólogo interno, e isso é assustador.

Porque eu estava acostumada era com meninos.

Meninos são adoráveis. Meninos interrompem as frases deles de um jeito interessante. Meninos levam uma mochila para o trabalho. Meninos cortam o cabelo com o companheiro de quarto, que "sabe totalmente como cortar um cabelo". Meninos podem enfiar a vida inteira dentro de uma valise e se mudar para o Brooklyn de uma hora para outra, se for preciso. Meninos têm "rolês". Meninos são falidos. E, quando têm dinheiro, gastam em uma viagem ao Colorado para ver um festival de música. Meninos não sabem como adaptar a conversa quando estão falando com os amigos deles ou com os seus pais. Colocam os pais no mesmo nível dos parceiros e reviram os olhos quando seu pai faz uma piada ruim. Meninos deixam seus pais pagar o jantar quando vocês saem com eles. É presumido.

Meninos são maravilhosos de muitas maneiras. Fazem presentes caseiros incríveis, memoráveis. São impulsivos. Meninos podem falar por horas com você em um jantar às três da manhã porque não têm horário de trabalho regular. Mas são péssimos namorados quando você faz 30 anos.

Tenho 32 e me sinto completamente adulta. É claro, às vezes sinto saudade de usar bijuteria Hello Kitty ou camisetas irônicas da Urban Outfitters. Quem não sente? Eu não, porque acho que ficaria meio patético. Mas um cara aos 32 anos pode agir e se vestir como um adulto ou um menino de 13 anos, e ambos são totalmente aceitáveis.

Não necessariamente para mim, mas para muita gente. (Não consigo nem contar quantos homens de trinta e poucos e quarenta e poucos anos usam sapatos de velcro em Los Angeles. É uma epidemia.) Essa é uma das coisas mais esquisitas que notei sobre ter 32 anos. Existem muitas mulheres e muitos meninos da nossa idade. Por isso comecei a ficar interessada em homens.

Quando eu tinha 25 anos, saí exatamente quatro vezes com um homem muito mais velho que vou chamar de Peter Parker. Vou chamá-lo de Peter Parker porque o verdadeiro nome do cara também era uma aliteração e, bem, porque o livro é meu e posso dar ao cara com quem saí o nome do *alter ego* do Homem-Aranha, se eu quiser.

Peter Parker era um escritor de comédia um pouco mais bem-sucedido que eu, mas que falava sobre tudo com um tom de "você tem muito que aprender, criança". Tinha sido roteirista de um *sitcom* bem popular. E me deu muitos conselhos que não pedi sobre como conseguir um emprego, "caso *The Office* fosse cancelado". Depois de um tempo, ficou claro que ele pensava que *The Office* seria cancelado, e no nosso quarto e último encontro ficou claro que ele achava que *The Office* deveria ser cancelado.

Por que estou falando de Peter Parker? Bom, além de fazer jornada dupla como Homem-Aranha, Peter foi o primeiro homem com quem saí. Um homem insuportável, arrogante, mas um homem legítimo.

Peter tinha uma casa. Não era nada luxuoso, só uma casinha em estilo rancho espanhol em Hollywood. Mas foi o primeiro homem com quem saí que realmente havia se mudado para a própria casa e feito dela um lar. As paredes eram pintadas; havia quadros emoldurados. Ele havia instalado uma TV de tela plana e alto-falantes. Tinha pendurado muita coisa nas paredes. Para todos os lugares que eu olhava tinha outro exemplo de um gesto que, se a casa fosse alugada, provocaria a perda do dinheiro investido. Me encantei com a ousadia. A casa de Peter me lembrava mais minha casa na infância do que um dormitório universitário. Nunca tinha visto aquilo antes.*

Ter uma casa obviamente não foi o suficiente para me fazer querer continuar saindo com Peter. Como eu disse, ele era um babaca condescendente. Mas notei em Peter uma qualidade que achei muito atraente e que eu sabia que ia querer no próximo cara com quem namorasse sério: não ter medo de compromisso.

A essa altura você pode querer me dar um tapa e dizer: "Você é mesmo mais uma mulher adulta falando sobre como quer um homem que não tenha medo de compromisso? Isso é um livro ou um *blog* chamado *Castelos de sorvete no ar: uma garota solteira procura o príncipe encantado?* Todo mundo já ouviu isso antes!". Mas me deixe explicar! Não estou falando sobre compromisso com relacionamentos românticos. Estou falando sobre compromisso com coisas: casa, trabalho, vizinhança. Ter um emprego que exija um contrato. Pagar um financiamento. Acho que, quando os homens ouvem que as mulheres querem um compromisso, pensam que isso significa um compromisso com um relacionamento romântico, mas não é isso. É um compromisso com não flutuar mais por aí. Quero um homem que esteja entrincheirado na própria vida. Estar entrincheirado é incrível.

Então, agora gosto de homens, embora eles possam ser assustadores. Quero um homem que cumpra agenda, acorde cedo, carregue uma carteira, use sapatos sem velcro. Não me importa se ele tem mais "problemas masculinos" tradicionais, como ter que tomar remédios controlados para colesterol ou queda de cabelo. Posso lidar com isso. Também sou adulta.

---

* Olha, não sou idiota, sei que muitos meninos têm casas. Isso é, tipo, todo o conceito da mansão da Playboy.

Em defesa dos peitos peludos

Quando eu tinha 13 anos, meu grande *crush* famoso era Pierce Brosnan. Sim, eu sei. Pierce Brosnan é um *crush* tão sem criatividade que é como uma escolha apavorada de uma lésbica adolescente que não saiu do armário. Mas Pierce era o cara para mim. Eu tinha 13 anos e estava no cinema assistindo a *Uma babá quase perfeita* com minhas amigas. Tinha uma cena em que Pierce Brosnan saía de uma piscina à moda Cheryl Tiegs. Ele é másculo e brilhante, e lembro muito nitidamente de um detalhe: tem peito peludo. Tive um pequeno despertar sexual. Durante *Uma babá quase perfeita*. Não é um filme frequentemente citado por sua representação idealizada da masculinidade tradicional.

Sempre gostei de um homem com cabelos no peito. Só tenho boas lembranças do peito do meu pai quando eu era criança, espiando pela abertura de uma camisa muito legal que tinha um mapa-múndi. Acho que peito peludo parece distinto. É, tipo, legal – meu pai é um homem.

Por isso realmente não entendo por que os homens raspam ou depilam o peito com cera. Acho desnecessário. Quero dizer, meio que entendo se você é um nadador profissional, porque cada folículo capilar acrescenta um segundo ao seu tempo ou coisa assim, mas todo ator do sexo masculino em Hollywood está depilando o peito. Quando assisto a um drama de uma hora de duração e tudo que vejo são aqueles homens de quarenta anos com peitos depilados, me sinto meio nauseada. Por quê? Pelo mesmo motivo que alguém pode se sentir nauseado diante de uma mulher com muito cosmético injetável no rosto: isso só mostra muito esforço para se conformar a um padrão de beleza arbitrário. E o padrão nesse caso é particularmente insano. Você quer tirar do seu corpo uma coisa que é tão distintamente máscula e legal? Eca! Quando vejo um cara perfeitamente depilado e bronzeado na tela, isso me força a lembrar um chihuahua. Ou penso no processo pelo qual o homem se livrou dos pelos no peito. Quanto custou para ser depilado com cera? Os pelos crescem como restolho espinhento? E, francamente, homens, vocês deveriam suspeitar das garotas que suspiram por seu peito liso e sem pelos. Elas devem querer que você pareça um chippendale (que é todo *gay*, de qualquer jeito, como todo mundo sabe) ou um garotinho.

Escuta, sei que o equivalente masculino da pessoa com minha opinião é aquele cara esquisito que declara amar mulher "ao natural" com um brilho vulgar no olho. Mas prefiro ser uma versão feminina daquele cara do que não falar nada disso. Além do mais, já me revelei meio esquisita em várias seções deste livro. Por favor, deixe os pelos do seu peito em paz!

Pessoas casadas precisam melhorar

A única coisa que lembro do meu curso de Shakespeare na faculdade é que se pode identificar uma comédia, em oposição a uma tragédia, porque ela acaba em casamento. (Também lembro daquela peça estranha *Conto de inverno*, em que uma mulher posa como estátua durante anos ou coisa assim. Lembro de ter pensado: *O que estou lendo? Isso é* ridículo. *Tirem isso do programa!*) Notei que também é assim que a maioria das comédias românticas termina. Mas penso que a verdadeira razão pela qual Shakespeare as terminava desse jeito é porque ele pensava que a jornada que levava ao casamento era mais divertida de ver do que aquela que começa depois que os votos são feitos.

Quando eu era pequena, acredito que 25% das crianças que eu conhecia tinham pais divorciados. Não era nada incomum e, de fato, era até meio glamouroso. Você nunca sabia na casa de qual pai ia dormir na festa do pijama, e esperava que fosse a do pai. A casa do pai sempre tinha TV a cabo ou piscina, e ele comprava o jantar em vez de cozinhar.

Quando cresci, conheci um mar de gente divorciada. Talvez até conheça mais gente divorciada do que casada, porque vivo na Los Angeles sem Deus, onde um noivado significa apenas que você está anunciando publicamente que namora uma pessoa monogamicamente.

Também conheci uma categoria inteiramente nova de pessoas: as que são infelizes no casamento. Elas estão por todos os lados e são dez mil vezes mais deprimentes que uma pessoa divorciada. Meu amigo Tim, cujo nome mudei, é claro, tem se tornado cada vez mais deprimente desde que se casou com a namorada, há sete anos. Tim é o tipo de cara que assedia você em uma festa para contar de forma veemente que *casamento é trabalho*. E que você tem que *trabalhar nele constantemente*. E que fazer terapia de casal não só é normal, como algo que todo mundo precisa fazer. Tim tem um olhar maníaco e *cult* de quem paga milhares de dólares para um terapeuta de casal. Está convencido de que seu trabalho diário pelo casamento, e o reconhecimento de que isso é basicamente um inferno em vida, é moderno. O resultado é que ele ajudou a tirar de mim todas as ideias românticas que eu tinha do casamento.

Para mim, o que é fascinante é que pessoas divorciadas tendem a ser as menos deprimentes ou deprimidas que eu conheço. São todas livres de fardos, limpas e mais inteligentes por isso. É assim até quando não foram elas que pediram o divórcio. Tenho uma amiga escritora de comédias, Sandy, cujo marido a trocou por outra assim que seu restaurante (no qual Sandy havia investido, tornando-o possível) virou um sucesso. Era meio que a pior história que já se ouviu, uma traição que, se acontecesse comigo, me faria dirigir lentamente por Los Angeles à noite com as janelas abaixadas, tentando localizar um pistoleiro para matar meu marido. Depois de seis meses difíceis e terapia três vezes por semana, Sandy agora está ótima. Ela percebeu – como quase todo mundo que conheço que foi abandonado ou dispensado –, que, ao se divorciar dela, o marido a livrou do trabalho de, em algum momento, abandoná-lo. Como disse minha mãe, quando uma pessoa está infeliz, normalmente isso significa que duas pessoas estão infelizes, mas que uma ainda não se deu conta disso. Sandy não havia percebido o quanto estava infeliz até ele ir embora. Ela me disse que deixá-la foi o melhor presente que o marido deu a ela um dia, porque ela nunca teria enxergado com a nitidez necessária para tomar a atitude. Não é fácil, é claro; eles têm filhos, e coordená-los e compartilhá-los é uma dificuldade e um sofrimento. Mas ainda assim ela está melhor que antes.

ALGUNS CASAMENTOS ÓTIMOS

Meus pais se dão bem porque são parceiros. Não são muito bons em analisar o relacionamento. O que eu quero dizer com parceiros? Basicamente, que eles querem falar sobre a mesma coisa o tempo todo. No caso dos meus pais, roseiras, fertilização com folhas secas e a localização de arbustos. Eles adoram jardinagem. Conseguem falar sobre pulgões como eu falo sobre a Semana de Moda de Nova York. Podem passar um dia inteiro juntos falando sem parar sobre rododendros e *Men of a Certain Age*, assistir ao programa do jornalista Piers Morgan e depois dividir um *milkshake* de baunilha antes de ir para a cama. Eles são parceiros. (Atenção: eles são parceiros, não melhores amigos. A melhor amiga da minha mãe é a irmã dela. Um melhor amigo é alguém com quem você pode falar exaustivamente sobre sentimentos, roupas e fofocas. Meu pai não tem o menor interesse nisso.)

Não quero detalhar Amy Poehler em tudo isso, mas sempre admirei realmente o casamento dela com Will Arnett. Lembro da estreia de *Parks and Recreation*, há quatro anos, em que Amy estava procurando o marido perto do fim da noite. Ela parou perto de mim e dois outros roteiristas de *The Office* (nós havíamos falsificado convites para a festa).

AMY: Oi, pessoal. Vocês viram Arnett? Não consigo encontrá-lo.

Não sabíamos onde ele estava, e ela balançou a cabeça de bom humor, tipo, "aquele cara", e continuou procurando. Nunca ouvi uma mulher chamar o marido pelo sobrenome, como se fossem jogadores do mesmo time. Por aí dá para perceber que Will e Amy são completamente parceiros.

FALA SÉRIO, GENTE CASADA

Não quero saber das intermináveis dificuldades para manter o sexo excitante ou do trabalho que dá planejar uma noite fora de casa. Quero saber que vocês assistem juntos a todos os episódios de *The Bachelorette* com uma vergonha secreta, ou que um levou o outro para *Breaking Bad*, e, se um assiste à série sem o outro, a coisa fica séria. Quero ver vocês se cumprimentarem com um "toca aqui", como companheiros de time em um jogo recreativo de *softball* no qual ambos se divertem. Quero ouvir essas coisas porque sei que são possíveis e porque quero isso para mim.

Acredito que a felicidade pode ter muitas formas, e talvez um casamento com muito trabalho faça as pessoas se sentirem felizes. Mas uma parte minha ainda pensa... é realmente tão difícil fazer funcionar? O que aconteceu com a parceria? Não estou reclamando que o Romance Morreu – acabei de descrever um casamento feliz baseado em falar sobre plantas, o programa cancelado de Ray Romano e *milkshake*: não são exatamente pétalas de rosas e olhares profundos no topo do Empire State Building, essas coisas. Tenho certeza de que meus pais se olharam profundamente uma vez, talvez, só porque minha mãe ia pingar colírio nos olhos do meu pai. E não estou dizendo que casamento tem que ser sempre fácil. Mas acho que a gente se complica demais com essa história nos dias de hoje. Nas comédias shakespearianas, o casamento é o fim e não há muita indicação de como será o "felizes para sempre" no dia a dia. Na vida real, um casamento não deveria ser uma festa incrível que você organiza com seu parceiro na presença de vários outros amigos? Um grande dia, é claro, mas não o começo e certamente não o fim da sua amizade com um parceiro com quem você mal pode esperar para falar sobre jardinagem pelos próximos quarenta anos.

Talvez qualquer casamento envolva trabalho, mas você pode escolher o trabalho de que gosta. Escrever este livro é trabalho, mas é um trabalho divertido, e eu o escolhi e gosto de fazê-lo, leitor. É meu trabalho, e é um trabalho de que gosto. Tim, por outro lado, escolheu um trabalho duro e meio que ruim, como raspar moluscos dos pilares de um poço de petróleo no frígido oceano Ártico.

Casados, é com vocês. Está em suas mãos manter à tona essa instituição que tende a afundar. É um barco velho, e muita gente, como eu, quer embarcar. Por favor, estejam preparados, e nos transmitam essa preparação. E lembrem-se sempre: muita, muita gente inveja o que vocês têm. Vocês são os astros no fim da peça de Shakespeare, aqueles que usam a guirlanda de flores nos cabelos. Nós, os outros, somos só os coadjuvantes.

Por que os homens calçam os sapatos tão devagar?

Tenho uma pergunta séria, e é uma pergunta sexista. Mas é uma forma muito branda e específica de pergunta sexista, por isso acho que tudo bem.

Por que todos os homens que conheço calçam os sapatos tão incrivelmente devagar? Quando amarro os cadarços, consigo fazer isso em pé e saio dez segundos depois. (Ou mais frequentemente nem amarro os cadarços. Enfio os pés nos tênis e amarro os cadarços no carro.) Mas com os homens, se eles calçam *qualquer* tipo de sapato (tênis, Vans, sapato social), demoram vinte vezes mais que uma mulher. Chega ao ponto em que, se eu souber que estou saindo de casa com um homem, posso fazer uma visita a um banheiro ou um telefonema, ou ambos e quando terminar ele quase terá terminado de amarrar os sapatos.

Há uma certa meticulosidade em todos os homens quando calçam os sapatos. Primeiro, eles sentam. Quero dizer, precisam sentar para isso. Isso sinaliza: "Vou demorar um pouco. Vamos nos acomodar". Posso calçar um par de botas de trilha cujos cadarços ainda nem passei nos ilhoses enquanto falo no celular sem sequer me encostar na parede.

Não tenho problemas sérios com isso, exceto quando você acabou de ter toda uma conversa esperta/*sexy* com um cara que está saindo da sua casa e ele demora mais oito minutos para calçar os sapatos.

MINHA APARÊNCIA:
o divertido e o que não tem graça nenhuma

Quando você não é magro, isso é o que as pessoas querem que você use

Passar por um embelezamento profissional era tudo que eu queria quando era uma menina de aparência assexual. Isso porque meus pais vestiam meu irmão e eu de acordo com basicamente a mesma estética: Bert, de Ernie e Bert. Demovê-los de me vestir com cores primárias e cardigãs (sério, fui uma criança que usava *cardigãs*) e convencê-los a deixar o meu cabelo crescer além dos lóbulos das orelhas foi um passo enorme que levou anos.

Com meu suéter Cosby, amando a vida.

Então, sim, agora que sou adulta, ser embelezada por uma equipe de profissionais para um evento no tapete vermelho ou para uma sessão de fotos para uma revista é o paraíso. A parte que não é divertida é aquela de alguém escolher minhas roupas.

Como qualquer pessoa que tenha lido mais de um parágrafo deste livro sabe, adoro moda e fazer compras. Mas, para fotos de revistas e coisas assim, eles contratam estilistas, pois têm uma ideia de como querem que eu pareça, e não é necessariamente como eu me apresentaria, que é meio Lisa Bonet da era de 1980.

Como não tenho aquela magreza de modelo, mas também não sou supergorda e superconfortável com meu tamanho avantajado, caio no nebuloso tamanho da "mulher norte-americana normal", que legiões de estilistas de moda detestam. Só para constar, meu manequim é 42 (nessa semana, pelo menos). Muitos estilistas odeiam esse tamanho, porque acho que, para eles, é a prova de que não tenho a disciplina para ser uma ascética nem a confiança atrevida e o abandono para ser uma completa hedonista gorducha. Eles pensam: escolhe um lado! Fica enorme para ter que ser enterrada em um piano e se vestir de acordo.

A título de informação, eles não são tão ruins. Trabalhei com alguns estilistas incríveis que me fizeram ficar tão gata que você ficaria de boca aberta. Monica Rose, que me preparou para a capa deste livro, entende totalmente meu corpo e o celebra. (Sim, eu falo coisas como "celebrar meu corpo", tipo sua velha tia *hippie*.) Mas muitos estilistas não sabem o que fazer comigo.

Aqui está uma lista do que os estilistas tentaram me fazer vestir nos últimos sete anos:

Marinho: ah, marinho, a irmã solteirona do preto. Preto, embora chique e universalmente emagrecedor, é considerado sem graça para o tapete vermelho e raramente aparece nas listas das mais bem vestidas. Por isso apareço usando tanto azul-marinho. Marinho voltou à moda nos últimos anos, o que é ótimo, porque antes disso marinho era mais famoso por ser a marca registrada dos funcionários do correio.

Mangas curtinhas: não ficam bem em ninguém, mas são empurradas para mim o tempo todo. Acho que é um esforço para tentar esconder a carne onde meu braço encontra o tronco, que acho que é repulsiva. Mangas curtinhas devem ser usadas exclusivamente por daminhas de honra em um casamento.

Blusas boêmias amplas apelidadas de "batas": meninas magrelas como Mary Kate e Ashley Olsen ficam etéreas e lindas em roupas *hippies* cheias de volume. Eu adoro o visual boêmio, mas, quando tento usar, pareço uma cigana gorducha. Além disso, gente gorducha não deve tentar o visual etéreo, da mesma forma que gente magra nunca deve tentar o estilo jovial. A única pessoa gorda e etérea em quem consigo pensar é Anna Nicole Smith e, no caso dela, etéreo poderia significar "drogada".

Camadas de colares de contas enormes: nada me deixa mais parecia com uma assistente social da década de 1970 do que várias camadas de colares coloridos e chamativos.

Muumuus (camisolão): na faculdade, fui convocada para o elenco de um musical escrito pelos alunos, uma versão de um mito grego. Era uma peça muito legal com um elenco pequeno, e cada ator fazia vários papéis. A figurinista, uma menina sempre carrancuda chamada Stephanie, nos reuniu para uma prova. Deu macacões pretos e justos para todos os atores, de forma que, quando mudassem de papel, pudessem sobrepor peças simples do figurino e se tornar o novo personagem. Adorei a ideia. Então chegou a minha vez de fazer a prova. Ela me deu um enorme camisolão preto, sem forma, fechado por velcro e amarrado por um cordão dourado. Ficou evidente que era feito do mesmo tecido preto das cortinas de lona do palco. Stephanie (que também não era nenhuma magricela, aliás) não quis "lidar" com meu corpo. Reclamei com o diretor, ele conversou com ela, que ficou furiosa; disse que eu era um "ajuste difícil". Eu não sabia que Stephanie seria a primeira pessoa a jogar um camisolão em cima de mim e dar o trabalho por encerrado.

Xales: é comum me envolverem com xales, como se eu fosse a rainha Elizabeth. Uma injustiça rotineira com as não magras é deixá-las parecidas com velhinhas decrépitas.

Capas tipo Sherlock Holmes: com essas não me incomodo muito, desde que me deem um cachimbo e um monóculo.

Ponchos: nada diz "inglês não é meu primeiro idioma" como eu vestindo um poncho.

Calças largas: uma vez, uma estilista de uma famosa revista feminina me vestiu com uma enorme calça cinza escuro com um cordão. Parecia uma roupa que um palhaço triste poderia usar para cumprir suas tarefas. Blusas de gestante chamadas de "estilo grego" são parentes das calças largas.

Estampa de margarida: acho que tem alguma coisa em margaridas ou estampas de margaridas que os estilistas consideram sinônimo de "mulher alegre, simples e gorda".

Honestamente, tenho a sensação de que alguns estilistas me poriam em uma fantasia de cachorro-quente e tentariam me convencer de que em Paris todas as garotas estão se vestindo como o salsichão Oscar Mayer só para cobrir meu corpo.

Em 2011, a revista *People* me indicou para o prêmio Mais Belas Pessoas de Fala Inglesa na América do Norte, com uma votação nacional na qual destruí. Mas não preciso lembrar você disso; provavelmente você arrancou a página e colou na porta da sua geladeira para servir de inspiração. Falando sério, foi uma surpresa incrível, e me senti lisonjeada e muito animada. Diria até que foi uma honra ser indicada por minha aparência, mas não acho que poderia, em sã consciência, escrever essa bobagem em um livro que pode ser lido por meninas adolescentes.

Caso você esteja pensando que a sessão de fotos que produziu aquela imagem na *People* transcorreu sem emendas – e a piada é intencional –, vou contar o que aconteceu:

A sessão de fotos foi realizada em um sábado, em uma escola fundamental pública, mais ou menos a uma hora de Hollywood. Enquanto ia de carro para lá, fui ficando mais e mais animada, conversando com minha mãe e prometendo que mandaria as fotos para ela. Faria a sessão com minha colega em *The Office*, Ellie Kemper, que é uma amiga próxima e uma das minhas pessoas favoritas.

Um estilista carismático com um francês quase incompreensível me levou a um *trailer* cheio de vestidos. Foi como entrar no *closet* da sobrinha de Saddam Hussein. Organza, tule e seda enchiam o *trailer* do teto ao chão; tinha *strass* e penas por todos os lados. Cada vestido era mais elaborado e elegante que o outro. E todos manequim 34.

O estilista não tinha levado nada fora do padrão. A única coisa que chegava perto do meu tamanho era um vestido solto azul-marinho sem forma, que eu não queria usar por causa dos sentimentos mencionados anteriormente sobre marinho e também porque parecia alguma coisa que Judi Dench usaria no funeral de alguém de quem ela não gostava muito. Olhei em volta procurando alternativas. Não havia nada.

Pedi licença para ir ao banheiro, que, como estávamos em uma escola fundamental, era o mesmo que as crianças usavam durante o dia. Entrei em um reservado, sentei no vaso infantil e chorei. Por que eu não perdia uns dez quilos para nunca mais ter que passar por esse tipo de situação? A vida era muito mais simples para as atrizes que seguiam por esse caminho. O problema era eu ser o monstro da comida destinado a vestir só azul-marinho? Várias pessoas burras eram magras, e eu não conseguia fazer essa coisa incrivelmente simples que elas faziam com aparente facilidade.

Fui pegar um pouco de papel higiênico para enxugar as lágrimas, e vi que não tinha papel. Suspirei e fui ao reservado vizinho. Sem papel higiênico. Fui a outro reservado. Nesse tinha papel higiênico, e tinha mais uma coisa. Tinha excremento na parede, e ao lado dele, com caneta Sharpie preta, alguém havia rabiscado: "Essa escola é uma merda!".

Ri alto. Mesmo naquela elegante sessão de fotos, não conseguíamos escapar do grafite furioso e imaturo de uma criança maluca que espalhava merda na parede. Adorei aquele pequeno e repulsivo gesto de rebeldia. Não sei por que, mas me fez sentir melhor. "Essa sessão de fotos é uma merda", pensei, e voltei ao camarim.

Estavam passando o vestido marinho com vapor, antecipando minha volta. Passei pelo estilista e fui olhar outros vestidos. Escolhi meu favorito, um rosa pálido com cauda de renda.

EU: Vou usar este aqui.

ESTILISTA (delicado, como se falasse com uma idiota frágil): Os 34 não vão servir em você.

EU: Ah, cara, então vamos chamar a costureira para dar um jeito, hã? Não temos muito tempo!

ESTILISTA: Ela veio só para fazer pequenos ajustes nos 34, não para reformar um vestido inteiro.

Foi quando decidi fingir que tinha o poder (naquela situação esquisita em que ninguém era o chefe) de encerrar discussões e tomar decisões.

EU: Bom, não sei o que dizer, porque não vou me sentir confortável em nada que não seja esse.

Quando joguei a cartada do "não vou me sentir confortável", ele entendeu que estava acabado. "Não me sinto confortável" é a frase clássica da garota manipuladora que quer tirar alguma coisa da frente. Está bem perto de "não me sinto inteiramente segura". Era justo? Não. Era legal? De jeito nenhum. Mas também não era justo ou legal ele ter aparecido com três dúzias de vestidos tamanho 34 para a minha sessão de fotos.

No fim, a costureira literalmente cortou as costas de um dos vestidos e acrescentou rapidamente trinta centímetros de lona à abertura, fechando o vestido e colocando-o em mim. O estilista estava à beira das lágrimas pela destruição do vestido, mas ele me serviu como uma luva – ah, uma luva improvisada e feia na parte de trás. Mas a frente? Perfeição. Te amo, lona. Amo vocês, alfinetes de segurança. Se algum dia eu dublar um filme da Disney em que for a princesa cujos amigos são um bando de objetos inanimados que ganham vida, espero que sejam um pedaço de lona e vários alfinetes de segurança atrevidos.

Mais tarde, já vestidas, levei Ellie ao banheiro e mostrei a ela o grafite manchado de merda. Ellie adorou, como eu sabia que adoraria. Passei o resto da sessão de fotos me divertindo e posando cheia de gracinhas com minha amiga, como a incrível Garota Mais Bela e Menos Vestível que eu era.

Essas são as fotos narcisistas no meu BlackBerry

Prefiro que alguém leia meu diário do que veja minhas listas no iPod. Não porque eu tenha listas constrangedoras chamadas "Criando o clima para a hora da transa" ou coisa assim. Minhas *playlists* são humilhantes porque as seleções de ginástica têm títulos idiotas como "Vai nessa, garota!" e "Você consegue, Mindy!". Também dá para ver que algumas têm só duas músicas repetidas quinze vezes, como se eu fosse uma maluca me preparando para matar o presidente.

Minhas fotos no BlackBerry, por outro lado, me fazem rir. São todas terrivelmente narcisistas. A principal função da câmera do meu BlackBerry é servir como espelho, para eu ver se a maquiagem está inteira. As outras fotos são das minhas pessoas favoritas, gente para quem eu quero olhar o tempo todo. Pensei em compartilhar todas elas, sem censura.

1. Eu estava a caminho de uma gravação de *The Late Show with Craig Ferguson* e queria ver se a espinha que eu tinha no meio da testa havia diminuído. Era uma espinha diferente daquela que tive aos 22 anos no mesmo lugar e sobre a qual escrevi antes neste livro, mas podia ser uma

descendente daquela, talvez? Era tão grande que Rainn Wilson me aconselhou a não fazer a gravação. Mas eu queria muito ir ao *The Late Show* porque adorava Craig Ferguson, então estourei a espinha com um alfinete de segurança esterilizado em água quente no banheiro feminino. Uma bolha de sangue secou no local da espinha, e consegui remover a casquinha para aparecer no programa, mas ainda dava para vê-la.

2. Estava a caminho da Festa Homem do Ano da *GQ*. Não havia motivo nenhum para eu ir, mas tinha ouvido falar que Drake poderia se apresentar. Eu mesma arrumei meu cabelo e queria ver se estava horroroso.

3. Também queria ver se meu vestido era muito decotado. No fim, decidi que não era, mas mantive as mãos perto do decote o tempo todo, como se sentisse um calor constante, como uma sulista de antigamente em um desenho animado.

4. Sim, estou com minhas duas melhores amigas, Brenda e Jocelyn, que são muito queridas, blá, blá, blá, mas essa foto é mais significativa porque é um raro momento em que minha cabeça parece ter um tamanho normal. Eu tenho uma cabeça *enorme*, por isso é importante ter algumas fotos boas em que ela parece menor, caso algum dia eu tenha que as usar em um daqueles bolos de aniversário que têm cobertura de foto.

5. Eu não tinha certeza de que podia usar óculos grandes de armação de plástico, então tirei essa foto. Se algum dia você precisar ser uma *hipster* com jeito de artista literata, use óculos grandes de armação de plástico preto.

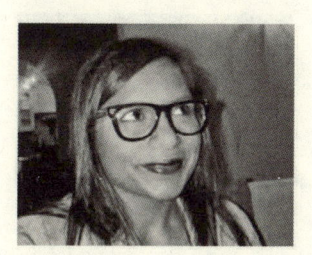

6. Agora eu tinha que ter certeza de que podia continuar com os óculos quando não estava sorrindo. Ficou muito legal. Basicamente Claire Danes.

7. Levei minha amiga Sophia como acompanhante ao prêmio do Sindicato dos Roteiristas há quatro anos, e ela foi a companhia perfeita. Meu vestido é muito esquisito, pareço uma corretora de imóveis em uma despedida de solteira. Horrível. Eu também estava em um momento ruim porque tinha acabado de romper com meu namorado. Eu nem ia, mas Sophia me obrigou e a gente se divertiu.

8. Estava eufórica com o esmalte xadrez cor-de-rosa nas unhas dos pés. Um esmalte extravagante nas unhas dos pés, esse é o único lugar onde acho que uma extravagância deve ser permitida.

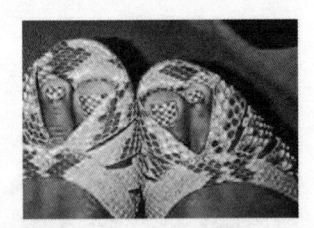

9. Ellie Kemper e eu na gravação do episódio "Classy Christmas" de *The Office*, que eu escrevi. Ellie é maravilhosa porque nunca foge quando quero tirar fotos de nós. Eu sou cafona, e ela adora. Acho que consegui esconder bem que eu estava tirando a foto, dando a impressão de que um cara tirou aleatoriamente uma foto de duas garotas bonitas e sorridentes, certo?

10. Uma noite, eu tinha maquiado os olhos e estava muito animada com isso. Tirei uma foto bem de perto na esperança de conseguir repetir a maquiagem outro dia. Não adiantou. Também notei um estranho tecido cicatrizado no meu globo ocular, por isso telefonei para a minha mãe no meio da noite para perguntar o que era aquilo. Não era nada. Eu podia ter deletado essa foto.

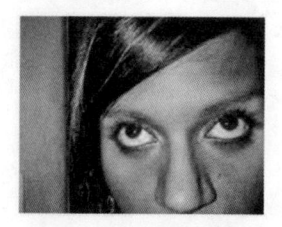

Fantasias de vingança durante a corrida

Não fosse por minha imaginação, eu pesaria cinco toneladas. A razão disso é que só consigo me exercitar com uma longa e vívida fantasia de vingança.

Não estou falando de me vingar de gente de verdade que conheço, tipo "Ah, Ed Helms furou a fila na hora do almoço, então vou escrever que o personagem dele, Andy, fica supergordo". Tem alguma justiça nisso, já que ele parece amar a comida! Estou falando de histórias elaboradas tipo *Kill Bill*, com pessoas que não existem de verdade, nas quais eu tenha o papel principal. Fantasias de vingança são uma parte muito grande do que eu penso enquanto me exercito, por isso relacionei alguns dos meus maiores sucessos. Por favor, integre-as aos seus treinos e dê um *sayonara* para as calorias!

MEU MARIDO É ASSASSINADO NO CENTRAL PARK EM UM DIA IDÍLICO DE PRIMAVERA

Meu marido foi assassinado por um maníaco no Central Park. Estávamos caminhando perto da represa em um belo fim de tarde de primavera, tomando sorvete de casquinha, e de repente ele é alvejado na parte de trás de cabeça por um tiro de um maluco com uma máscara de Antonin Scalia. "Scalia" foge rindo como o Coringa, entra em um Escalade e sai cantando pneus. Meu lindo e inocente marido morre em meus braços, justamente na noite em que ele apresentaria *Saturday Night Life* pela primeira vez. (Ah, sim, nessa fantasia, meu marido também é uma estrela, armador do time que acabou de vencer a Final da NBA.)

John Hamm é convocado para apresentar um *Saturday Night Life* muito sombrio naquela noite. Quase não consigo fazer a aparição *cameo* que faria na Atualização do Fim de Semana. Sim, ainda faço. Estou triste, mas, fala sério... um *cameo* no *SNL*. Seth Meyers também não consegue transmitir a alegria habitual. Os horríveis eventos do dia estragam tudo.

Depois do assassinato de meu marido, passo muito tempo fazendo flexões e abdominais e corto o cabelo bem curto diante do espelho, para o qual olho com um olhar morto. Pareço Mia Farrow em seu apogeu, mas com uma coloração indiana e enlouquecida. Paro de aproveitar coisas que me confortam, como *junk food* e sair com meus amigos porque nada me traz prazer exceto pensamentos de vingança. Meus melhores amigos me dão um apelido doloroso, "Conde de Monte Cristo, Mas Chata", porque estou obcecada por vingança e isso está se tornando tedioso. Porém, por causa da minha alienação e obsessão, consigo entrar em forma bem depressa, porque toda comida tem o mesmo gosto (de nada) e eu como peito de frango sem pele e brócolis em todas as refeições sem reclamar.

Scalia está em Miami. Descubro porque contratei um investigador particular que parece Kris Kristofferson, mas mais grisalho. Vou para lá, passo na Dash, a loja das Kardashian em Miami, para comprar uma roupa incrível, depois me infiltro no clube South Beach, que sei que Scalia frequenta. Estou fingindo ser uma treinadora lésbica. (Bem fácil de acreditar: meu corpo está definido e não tenho mais interesse em homens.) Encontro Scalia cheirando cocaína na sala dos fundos, uma espécie de covil. Ele tem fotos emolduradas de todas as pessoas que assassinou. Eu o enforco com sua própria máscara. Quando o corpo cai sem vida em meus braços, penso em tirar a máscara para ver quem ele é. Mas paro antes disso. Nem me interessa mais.

Tempo total gasto nessa fantasia: 12 minutos

Total de calorias gastas durante essa fantasia: 90

MEU MARIDO É SEQUESTRADO E ASSASSINADO EM NOSSA LUA DE MEL

Meu marido e eu estamos de férias em Buenos Aires. Terroristas contrários ao casamento inter-racial (raro, eu sei, mas terrível) querem fazer de nós um exemplo. Eles o sequestram e pedem resgate, mas o matam no dia seguinte com transmissão ao vivo pela televisão. Naquele momento, paro de falar para sempre. Fico muda. Mas sou uma muda que vai à academia, porque corro, faço passadas a fundo e agachamentos até não ter mais nenhuma gordura corporal e conseguir fazer 50 barras com pegada fechada e 25 barras com pegada aberta. Mesmo na minha fantasia de vingança em que tudo que faço é me exercitar, ainda consigo fazer só 25 barras. Barra é dureza, sério.

Corro por Buenos Aires fingindo ser uma dançarina de tango indiana e muda. Mas na verdade estou tentando encontrar os terroristas que mataram meu marido, o que acontece em uma noite de verão. Eu enfio no coração deles uma faca que mantenho escondida dentro do meu penteado enorme.

Quando sou presa e levada a julgamento na Argentina, decido me defender. Em meu argumento final, eu digo: "No país que viu tantos desaparecimentos na década de 1970, é surpreendente que alguém se importe com terroristas desaparecendo do mundo nos dias de hoje". Depois desapareço.

Tempo total gasto nessa fantasia: 8 minutos

Total de calorias gastas durante essa fantasia: 65

ARRUMO CONFUSÃO PARA AQUELA MULHER QUE FOI GROSSA COMIGO NA SAKS

Estou no departamento de calçados da Saks na Quinta Avenida. Tento chamar a atenção de uma vendedora esnobe e antiquada para experimentar um par de mocassins Miu Miu. Cometo o engano clássico de ir à Saks vestida com minhas roupas de ginástica, por isso ela não me dá atenção. Finalmente a abordo e peço ajuda sem rodeios, e ela diz que já volta. Sento e espero durante quase dez minutos, e então descubro que ela está na área da Louboutin atendendo uma mulher branca e de aparência rica que está mais bem vestida. Fico tão furiosa que vou ao Atendimento ao Cliente no terceiro andar e preencho um formulário de reclamação contra aquela mulher.

Tempo total gasto nessa fantasia: 1 minuto

Total de calorias gastas durante essa fantasia: 10

A AL QAEDA TOMA O *THE VOICE* DA NBC COMO REFÉM

Em um episódio de grande audiência de *The Voice*, membros da Al Qaeda descem do telhado pendurados em cordas e tentam transformar o programa em uma competição ao vivo de terrorismo, matando pessoas inocentes de hora em hora. A parte realmente doente é que eles fazem os juízes dar notas para cada assassinato. É incrivelmente chocante e horrível. Mal sabia a Al Qaeda que eu estava sentada na segunda fileira, graças aos ingressos VIP que ganhei de meu amigo pessoal e próximo Adam Levine. Tenho uma arma na minha bolsinha Alexander McQueen. É de plástico, como a de John Malkovich em *Na linha de fogo*, por isso passou pelo detector de metais. Eu não sabia por que peguei a arma quando estava me arrumando para ir àquela gravação de *The Voice*, mas agora sei.

Quando a Al Qaeda se prepara para atirar na primeira vítima ao vivo, ouvimos um tiro! Pessoas gritam. Mas não, não é o inocente que eles iam matar. É o terrorista que segurava o inocente. (Vi esse movimento em filmes, o confuso "tiro que ecoa". É incrível.) Os terroristas se espalham. Quem é esse antiterrorista invisível? Sou eu, Mindy Kaling. Estava escondida atrás do casaco de pele de CeeLo, e ninguém me viu. Lentamente, ao longo da noite, mato todos os terroristas com minha pontaria de atirador de elite. Treino um grupo de corajosas bandeirantes que estão ali para se distrair. Logo os terroristas estão apavorados. É bem irônico, na verdade. E depois, quando o último atirador é derrubado, a SWAT entra em cena. Eu me revelo e anuncio: "A música jamais poderá ser silenciada pelo terror, só pelo voto". Eles continuam a transmissão de *The Voice*, porque do contrário os terroristas não teriam vencido exatamente, mas teriam perturbado nossa noite de divertida avaliação de cantores.

Tempo total gasto nessa fantasia: 20 minutos

Total de calorias gastas durante essa fantasia: 200

MEU IMPORTANTÍSSIMO LEGADO

Orientações estritas
para o meu funeral

Estas são as instruções sobre o meu funeral para aquele que estiver mais próximo de mim quando eu morrer. Você pode achar que isso é presunçoso, mas considere como um favor, porque, quando eu morrer, você vai ficar tão perdido com o sofrimento que sua capacidade de planejamento estará comprometida, e não quero que meu funeral seja um desastre improvisado.[*]

Traje: chique devastado.

Nenhum dos meus ex tem permissão para ir. Dispersa. É esquisito. (Tudo bem, a única possibilidade de eu considerar a presença de um ex é se ele estiver completamente, horrivelmente devastado. Tipo, ao saber da minha morte, ele deu uma boa olhada na própria vida e nas escolhas que fez e virou budista ou coisa assim.)

---

[*] *Thrown-Together Disaster Funeral* (Funeral improvisado desastroso) é meu novo programa na HGTV. É um programa de reforma de funeral em que três gays exuberantes e uma mulher petulante e crítica (imagine Wanda Sykes) invadem um funeral brega e dão um jeito nele. O bordão de Wanda é "Não, não. Todo mundo fora dessa igreja. Esse funeral é um *desastre*".

Nada de esposas ou namoradas atuais dos meus ex. Essa parte é séria, não tem negociação. Elas só vão aproveitar a chance para parecerem gatas de preto.

Ninguém pode usar meu funeral como o incidente indutor para a própria comédia romântica.

Meu grupo *a capella* da faculdade vai tentar se apresentar. Eu os perdoo pela tentativa, mas isso não pode acontecer. Não falo só do grupo que cantava na faculdade. Nenhuma reunião de ex-membros ou coisa parecida vai poder cantar. Você tem que ficar atento a isso. Num piscar de olhos, consigo ver um grupo de mulheres chorosas começando uma versão miada de "I Will Remember You", de Sarah McLachlan. Preste muita atenção: elas vão encontrar brechas.

Ninguém pode usar essa ocasião para lançar a música que compôs. Odeio música autoral.

Tem que ter comida no meu funeral. Odeio ser convidada para alguma coisa onde não tem comida. Alguma coisa saborosa e leve. Nada de massa. É sério. Vou sair do caixão se alguém levar um *ziti* ao forno. Na verdade, nada de comida quente. Salgadinhos, sanduíches, *scones*, café. Basicamente um chá inglês, mas não quero nada empilhado naqueles pratos de servir de três andares. É pretensioso.

As pessoas podem mandar mensagens, mas nada de telefonemas. É grosseiro. E, quando digo que podem mandar mensagens, estou falando de uma coisa discreta, como usar uma das mãos com o celular escondido na bolsa.

Se as pessoas falarem, vão ter que seguir diretrizes, ou vai virar uma bagunça. Tenho muitos amigos escritores de comédia. Não deixe que transformem o discurso em uma "fritada". Você sabe o que eu penso de *roasts*. Não quero momentos de hilaridade nessa coisa. Nada de lembrar alguma idiotice que fiz para mostrar que todo mundo pode dar uma grande e catártica gargalhada.

Na verdade, nada de catarse.

E não quero ironia. É sério. Passei minha carreira inteira lidando com ironia. Quero uma cerimônia séria que faça as pessoas quase se encolherem.

Por favor, nada de religião. Insisto para que ninguém mencione Deus ou coisas assim no meu funeral. Não estou fazendo nenhuma grande declaração ateísta, mas quero que seja solene, porque as pessoas vão estar tão abaladas com minha morte que não quero dividir o holofote com Deus.

Sem velas. Odeio velas. Isso não é uma cena de sexo de *Grey's Anatomy*.

Se Steve Carell não aparecer, quero que meus filhos e os filhos dos meus filhos anotem isso.

Tem que ter uma bolsa de presentes para as pessoas quando elas forem embora. Dentro dela deve ter: (1) uma foto minha em meu momento mais bonito, submetida a um processo de envelhecimento e exibida em uma moldura em forma de coração. Tem que parecer o tipo de foto que um soldado teria carregado com ele durante a Guerra Civil; (2) uma barra de cereais ou um *body spray* moderno da marca que estiver patrocinando o funeral; (3) uma cópia de um desenho que fiz quando era pequena e retratei o que queria ser quando crescesse, astronauta. Embaixo do desenho deve estar escrito em letra cursiva: "Ela finalmente encontrou suas asas", ou, "...e decolamos"; e (4) uma carta do presidente falando sobre o impacto que causei na comunidade de criação. Se o presidente for uma mulher nesse ano, ela pode falar sobre como inspirei seus sonhos, essas coisas.

Faça tudo isso e você saberá que eu descansarei na paz eterna. Se isso for importante para você.

Um louvor para Mindy Kaling, por Michael Schur

Meu amigo, ex-roteirista de The Office *e atual criador de* Parks and Recreation, *Mike Schur me deu um elogio antes de eu morrer.*

Amigos, membros da família de Mindy, representantes das maiores lojas de departamentos, boa tarde.

Meu nome é Michael Schur, e trabalhei com Mindy Kaling durante vários anos em um programa de televisão chamado *The Office*. A versão norte-americana – não a versão chinesa que é exibida há 41 anos.

A morte súbita de Mindy na semana passada me chocou, e tenho certeza de que também chocou as quatro mulheres com quem ela brigava por aqueles sapatos durante a Liquidação Maluca da Meia-Noite na Bloomingdale's de Dubai. Embora a perfuração tenha sido considerada "acidental", nós que conhecíamos Mindy sabíamos que era só uma questão de tempo até uma briga por itens de luxo acabar com ela. E, se tem um ponto positivo em tudo isso é que escolhi "Empalada pelo salto de um *peep-toe slingback* de camurça 'Jem' Christian Louboutin" na pesquisa "Como Mindy Kaling vai morrer?", que Rainn Wilson mantém desde 2006, por isso ganhei US$ 200.

Jamais vou esquecer a Mindy Kaling que conheci em nosso primeiro dia de trabalho: olhos brilhantes, inexperiente, uma completa novata no mundo dos roteiros para televisão... e, ainda assim, muito mais confiante que todos os outros. Ela era *extremamente* confiante. Exibida, talvez. Arrogante? Qual é a palavra certa... vamos de tagabida, que é uma palavra que acabei de inventar e significa "tagarela e exibida".

Sua ética profissional era insuperável. E com isso quero dizer que, se você fizesse uma lista com todos os níveis de ética profissional, a dela estaria logo acima de "nenhuma". Um dia ela chegou tão atrasada para trabalhar que já era a manhã seguinte. E também estava atrasada para aquela manhã. E de ressaca. Mas nós a perdoamos, porque, quando tentamos discutir o assunto, ela começou a falar sobre como um certo ator era gato e depois sobre como adorava sorvete italiano e depois sobre como Beyoncé devia lançar um álbum *country* e depois várias outras coisas, e nós cansamos e esquecemos a história toda.

Mike e eu no prêmio anual do Sindicato de Roteiristas.
Perdemos em todas as categorias e ficamos bêbados no saguão do hotel.

Mindy fazia muitas coisas. Era formada pela Ivy League, atriz, comediante, roteirista, fofoqueira inveterada, republicana esquisita pró-armamentos, defensora franca do consumo ostentatório e, é claro, como descobrimos depois da revelação póstuma de seu diário coberto de adesivos fofos, pervertida *hard-core*. Mas, apesar de todas essas falhas e fraquezas e de literalmente milhares de outras que anotei em meu "Manual da Mindy", orientação da minha psicoterapeuta para preservar uma noção de profissionalismo enquanto trabalhávamos juntos, eu amava Mindy Kaling. Ninguém escrevia como Mindy. Ninguém era mais divertido que Mindy. Ninguém mais, resumindo, *era* Mindy. Isso não vai continuar por muito tempo, eu sei, porque ela vai determinar que seu DNA seja replicado um milhão de vezes, notícia que recentemente levou às alturas o Índice de Compras no Varejo da NYSE.

Não acredito que ela partiu. Meu consolo é pensar: *Bem, acho que os anjos queriam que ela calasse a boca.* Vou sentir muita falta dela, e espero que agora ela esteja no céu nos vendo e sorrindo, embora no fundo eu saiba que, se houver um pós-vida, ela é um caso evidente de ir para o inferno.

R.I.P.

Tchau, tchau

Quando eu tinha seis anos e vi *A noviça rebelde* pela primeira vez, minha parte favorita, sem dúvida, foi quando as crianças Von Trapp se despedem dos convidados com a canção "So Long, Farewell", cantando na escada de sua mansão austríaca. Adulta, agora entendo que esse é um exemplo terrível para as crianças. Ensina que os adultos se encantam com longas, prolongadas despedidas musicais. Na verdade, *A noviça rebelde* inteiro inspirou meu comportamento equivocado na infância, quando eu acreditava que as pessoas sempre ficariam animadas para me ouvir cantar.

Decorei a canção ouvindo-a em nosso gravador. Depois, na hora de dormir, chamava meus pais do alto da escada da nossa casa para poder cantá-la inteira. Só eu cantando as vozes de sete crianças, sem nenhum acompanhamento musical. Quando terminava a parte de uma criança, corria para o meu quarto e voltava para fazer a próxima voz. Meus pais ouviam pacientes até a saída da segunda criança.

"Agora chega", meu pai dizia, e subia a escada para me pôr na cama.

"Só cheguei no Friedrich! Tem mais cinco crianças Von Trapp!", eu dizia. Ele não ligava. Meus pais apoiavam minha criatividade, mas não tinham muita paciência com caprichos sem nenhum valor produtivo. Eles tinham mais o que fazer.

O ponto é que não aprendi nada com essa experiência. Sim, se estou em uma festa na qual não estou me divertindo, ponho alguns biscoitos no bolso da jaqueta e vou embora sem me despedir. Mas quando estou me divertindo? Gosto de tudo prolongado, à moda Von Trapp. Posso passar o dia todo me despedindo. Como um cara calçando os sapatos.

Antes de ir, pensei em responder as perguntas que vocês ainda possam ter.

E aí, nunca venceu um concurso infantil de soletração? Tive a impressão de que isso era uma recordação de um acampamento de soletração.

É confuso, eu sei. Com base na minha etnia, no número de amigos que eu tinha na infância, no meu tamanho, na minha visão e na vontade que eu tinha de agradar meus pais, deveria ter sido a rainha dos campeonatos de soletração dos 7 aos 14 anos. Acho que a explicação para isso é que meus pais ficaram preocupados, com medo de eu ser uma soletradora muito boa e uma potencial vítima de sequestro para qualquer pessoa que assistisse ao *Scripps National Spelling Bee* no CSPAN-3 no meio da tarde.

Por que não fala sobre se as mulheres são engraçadas ou não?

Achei que comentar sobre isso de qualquer jeito real seria uma aprovação tácita do tema como um debate legítimo, e não é. Seria o mesmo que abordar a questão "Cachorros e gatos devem poder cuidar dos nossos filhos? Eles estão em casa, mesmo". Tento não tornar hábito discutir de forma séria assuntos polêmicos e sem sentido.

Sobre o que será seu próximo livro?

Espero que meu próximo livro seja sobre meu marido, meus filhos, minha carreira legal no cinema, e que eu compartilhe coisas que aprendi depois de escrever este livro. Tipo, adoraria saber onde fica meu contorno labial natural. Ainda não tenho nem ideia. Talvez até lá eu tenha descoberto.

Mais alguma coisa?

Não, nada. Eu só, só não quero dizer tchau.

A gente se vê em breve, pessoal.

Amor,

Mindy

Agradecimentos

Agradeço aos meus doces e divertidos amigos que me ajudaram nisso. São eles: Jeremy Bronson, Danny Chun, Alexis Deane, Lena Dunham, Brent Forrester, Dan Goor, Charlie Grandy, Steve Hely, Carrie Kemper, Ellie Kemper, Paul Lieberstein, Danielle Moffett, Sophia Rossi, Deb Schoeneman, Mike Schur e Deborah Tarica. A inteligente Ava Tramer foi um gênio da organização com a atitude de uma lebre. B. J. Novak foi um grande amigo e editor, me dando dicas como: "Ei, Mindy, acho que aqui você parece meio racista. Eu tomaria muito cuidado para não parecer racista no seu livro". Greg Daniels foi fundamental em praticamente tudo que fiz nesses últimos oito anos. Ele é demais.

Minha gratidão às queridas Christina Hoe, Jocelyn Leavitt, Brenda Withers e ao meu irmão, Vijay, por me deixarem contar histórias e publicar fotos com eles, o que acho que meio que tiveram que fazer por amor, de qualquer maneira.

Agradeço a Maya Mavjee, Tina Constable, Tammy Blake, Meredith McGinnis e Anna Thompson pelo apoio, trabalho duro e entusiasmo com esse livro.

Melissa Stone e Alex Crotin foram foda e uns amores, o que é muito difícil de associar.

Sem Howard Klein eu nunca teria escrito isso. Richard Abate me orientou ao longo de todo o processo com paciência e amor. Tenho o número dos dois celulares deles, um privilégio do qual abuso.

Adoro a NBC, embora nunca tenha conseguido um desconto na GE. Suzanne O'Neill é uma editora brilhante com quem tive contato quase diário. Há muito tempo atravessei a fronteira do profissional com ela, e não há caminho de volta. Ela é minha amiga. Sinto muito, Suzanne.

Finalmente, quero agradecer a Avu e Swati Chokalingam. Sei que dediquei este livro a eles, mas acho que sou só uma dessas filhas esquisitas que gosta demais dos pais.

Sobre a autora

Mindy Kaling é roteirista indicada ao Emmy e atriz em *The Office* da NBC. Ela também é criadora e estrela de um novo programa, *The Mindy Project*, na FOX. Você pode encontrá-la no Twitter (@mindykaling) ou em sua mesa fingindo escrever um roteiro, enquanto na verdade está fazendo compras *on-line* com um cartão de crédito cujo número decorou. Ela mora em Los Angeles. Seu código de endereço de cobrança é 90067.

CITADEL
Grupo Editorial

Livros para mudar o mundo. O seu mundo.

Para conhecer os nossos próximos lançamentos
e títulos disponíveis, acesse:

🌐 www.**citadeleditora**.com.br

f /**citadeleditora**

📷 @**citadeleditora**

🐦 @**citadeleditora**

▶ Citadel - Grupo Editorial

Para mais informações ou dúvidas sobre a obra,
entre em contato conosco através do e-mail:

✉ 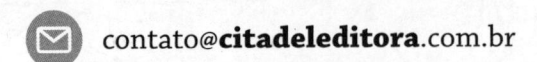 contato@**citadeleditora**.com.br